文
景

———

Horizon

社 科 新 知　文 艺 新 潮

陆源 著

童年兽

上海人民出版社

前　记

　　经历长久的冬寒夏热，经历一次次白昼黑夜的交谈，那天下午我坐在地铁里，来到成寿寺站，尘封的久远记忆终于打开。你们将要读到的故事并非全然真实，又绝无虚假，在一枚枚真实气泡之间，是我危如累卵的阅历之膜。有经验的读者应不难理解作者这番表述。

陆源

2017 年 4 月 27 日于北京

我总算可以来谈谈自己的童年……实际上，它在以往的岁月当中一直未曾终结，反倒不断延展、拉伸，演变成一条漫长而寂静的下坡路。很久以来，我保持沉默，不是因为悔恨，不是因为羞惭，仅仅是因为找不到恰当的叙述语调。直至今年三月下旬，读完一部充斥着无数惊叹号和省略号的长篇小说，本人这才恍然大悟，才终于第一次认识到，童年是我内体灿烂的肿瘤，是我屡遭败坏的繁星万花筒，是我落往炼狱的伊甸园，是我从未消逝、永存于心的灰暗世界……它根本不可毁灭，注定让你一次次在深夜想起，不得安宁。然而今天我写下这段往事，既无意让黑色消弭于红橙蓝绿诸色之中，更不愿以黑色污染并遮盖其他颜色。要知道，在那本令我们魂摇魄荡的不朽漫画书里，阴森森、暗沉沉的噩梦上游还盛开着五彩缤纷的大片鲜花……

顶着回忆的无形重压，沿时光之河逆水行船，穿过站满了败类和畜生的低缓草甸，我们看到的第一张画面很可能是：本人骑着个四肢爬地、傻眉愣眼的同龄小男孩，模仿西部牛仔的架势，揪紧他破破烂烂的领子或者裤头，不断摇来晃去。我这位可怜的朋友姓阮，长了颗前额暴突的马铃薯脑袋，剪了个最匹配马铃薯脑袋的短发式，他反应迟钝，终年鼻涕长流，不爱哭更不爱笑，全身总在脱皮，大片大片脱皮，不舍昼夜……真是个废柴！他永远一屁股粪疙瘩。跟阿阮这样玩其实很没意思，甚至很累人很辛苦。我极少动手揍他，更不想学那帮坏蛋把小家伙踩到烂泥里，塞到滚筒洗衣机里，丢到潲水缸里。完全没必要。拳脚的暴力过于短暂，过于肤浅，过于鸡肋。再说他几乎从不反抗，除非你阻止他疯狂挠痒痒……阿阮的智力程度太低，同白痴差不多，难以理解他为什么自取其辱，非要跑来围棋队遭罪。两三年前，我们相继走进市体校的大门。这座苏联风格、顶上插满了红旗状水泥棱子的大门，关乎拼搏与美梦，关乎本钱与获利，也关乎人间血泪与阴暗现实。想当初，我们从事各行各业的父母各怀鬼胎，要么指望子女撞一撞狗屎运，发掘发掘所谓的潜力，要么指望子女混几年财政饭吃吃，贪图你灵光乍现的小体格小伎俩挣到一份国家津贴，要么干脆屁都不指望，全看缘分，随波逐流，流到哪儿算哪儿。何必考虑太多？船至桥头自然直嘛！为了进入围棋队，我们各显神通，各钻各洞。我们相聚在龙盘虎踞的市体校，身边尽是些飞毛腿、大力士和拼命三郎，还可能是些痴愚的巨汉、狡诈的小鬼或全省最狠最坏的贱坯……当然啰，这不重要，谁也没工夫多管闲事。我们又不是来参加夏令营，又不是来上作家培训班！总而言之，阿阮这辈子休想赢我哪怕一盘棋，所以他不得不当牛做马，承受胯下之辱。愿赌服输，乃是竞技选手的入门级修养！……不过，请注意，骑在这小家伙身上你必须甘冒风险。最近几次，本人因太过投入，没留神有个瘦骨嶙峋、满嘴烂牙的汉子不声不响冲过来，挥手猛抽我后脑勺，抽得我满眼金星，不停打转，头颅嗡嗡作响。该大龄青年正是我们的主教练黄材晋。王八蛋！人渣！猪屎！无耻之尤！他气炸了，直冒青烟，死命往自己的太阳穴上搽风油精。孬种！饭桶！笨卵！超级窝囊废！他连跪地不起的阿阮也一块儿骂。黄教练暴跳如雷，额角绽出青筋，鼻子呼哧呼哧喷着粗气，两腮的咬肌轮番鼓胀，彼此争锋。男人化身为正义的闪电，怒斥我欺软怕硬，卑鄙透顶，可是一转眼，他又要来摸我圆鼓鼓的脸蛋，用他饱受烟熏的臭嘴来亲我，扒掉我裤子叼我尚未长毛的小麻雀。这名矮个子业余五段提拔我，训练我，让我领到每月一百三十元的伙食补助，上世纪八十年代那比我母亲的工资还高不少。从本人六岁时起，他就经常写些难看的隶书大字，或一两行无可辨认的狂草送给我，什么听着挺瘆人的"龟步狐手"，什么狗屁不通的"以棋索理，流思养志"，还有什么莫名其妙的"施定庵如大海巨浸，范西屏如崇山峻岭"……天晓得他从哪里挖出来这些个僵尸腐怪！黄教练把自己的书法作品认真装裱一番，拜托我那位混账父亲挂到客厅以及我床前霉斑点点的墙壁上。

　　本人无意如此不留情面地评判父亲。父亲毕竟是父亲，不是阿猫阿狗。他把我领进黑白胜负的国度应该说纯属好意。那阵子，这座偏僻的省城远未生长过度，依然小巧、宁静而清爽。许多个晚上父亲骑车送我去文化宫找人过招，因为不知从什么时候开始，他跟我下棋就越来越吃力，越来越颜面扫地，最终彻底投降。男人这几十年吃过不少苦头，受过不少惊吓，种种失败、种种斗争和诸多残酷事件在他生命中留下了深刻烙印，迫使他活得战战兢兢，整天谨小慎微且擅长精神胜利法……很久以后我才明白，这种男人往往有个魔鬼似的父亲。可惜父亲的父亲早已谢世，假如他当时未死，大概不会允许本人去围棋队胡闹，不会放任黄教练叼我小麻雀，不会容忍他每晚跑到运动员宿舍，掀开我或者另一些小男孩的毯子被子……无论如何，我不想多谈父亲，不想多谈父亲的父亲，他们令人肝颤的悲惨故事已有别传，无须在此细述。当年的文化宫长满了粗大繁茂的枇杷树，是打野鸡的隐秘圣殿，也是热衷于乱战的茶馆老枪们吞云吐雾的乐园，这伙臭棋篓子为取胜而不择手段，罔顾天地良心，竟然毫无廉耻地往棋童脸上喷烟，使你头昏脑涨，算路出错，两眼一花败下阵来，整晚恼恨不已……

对我们来说，围棋绝不是什么益智游戏，不是什么文绉绉的无聊手谈、坐隐，或装模作样的灵魂交流。围棋是我们在一片奇异的大陆上修炼搏杀技和飞行术。那些高居顶峰的圣贤，在没法成为专业棋士的众多炮灰眼中无异于仙禽、巨兽、神王，不可战胜，超伦绝等。就算是尘世间名不见经传的低段职业者，要斩杀我们这帮子不入流的杂鱼也不费吹灰之力。在棋盘上跟他们较量，会让你感到极度抑郁、无助、苦涩。无从还手，更无从求胜。他妈的！这类生物的阴影何其庞大！即使他们一个个贼眉鼠眼，即使他们在现实中跟你差不多同样无能，即使他们很多方面还远不及你！必须承认，围棋就是围棋，围棋是胜负的天下，是生和死和无尽劫争，成者王败者寇，清清楚楚，绝无半分儿戏，不开半点玩笑，没人能蒙混过关，不存在一丝一毫侥幸……

言归正传。我师兄唐克克，便是这么一名在读者诸君看来默默无闻的职业低段棋手。这个小混蛋比我大两岁，令我深为恐惧。从认识他第一天起，从我们在棉纺厂西门外第一次对局之初，本人就无法战而胜之。他结结实实教训了我，以雷霆万钧之势在我身前画下了一道不可跨越的鸿沟，形成绝对的压制。时至今日，偶尔想到这位师兄，头皮仍不住发麻……其实，唐克克和我一样，是八十年代聂旋风所催生的围棋幼蕾。老聂在中日围棋擂台赛上奇迹般九连胜，致使一股狂热、汹涌、井喷式的宏大精神力凝聚于我国疆域上空，最终化作棋运的暴雨，连我们这座蛮荒的边镇也无可逃避，从上到下浇了个透心凉。全国一盘棋！省体委划拨专款，成立围棋队、象棋队乃至国际象棋队，聘请教练，选拔队员，集中训练。从娃娃抓起！团结一致，勠力同心！我们是小鸡仔，教练和领队是身高超过三层楼的巨人饲养员！……如果生在邻省，唐克克充其量只能算一根普通瓜苗，但在本地，他必然是朗照四方、众所瞩目的超新星畜种。这狗东西棋力强横，而且一肚子坏水。他恶作剧时，眼睛灼灼放光，大嘴巴奸狯地歪到一边，几乎有一尺宽，非同小可。身为商标印刷厂工人之子，他打娘胎里钻出来就深谙囤积票据之道，坑蒙拐骗样样娴熟。当年，市体校的红砖围墙内流通着一套制作精良、斑驳陆离的塑料饭票，从一分两分到五元十元一应俱全。它们是这个辽阔体育自治领的合法货币，是权力与地位的同义词，不仅可以购买食堂的饭菜，还可以在星罗棋布的许多小卖部内随意使用，有些运动员也喜欢拿饭票跟类固醇贩子交易，据说比较安全，理由则不得而知。这套票子防虫，防水，部分防火，在市体校那片多纳圈似的环形场域中神通广大，无所不能，无往不利。市体校、市体委、市体工大队，它们三位一体，它们一心同体，而饭票是吾辈的圣物，是家属区的底牌，是奔流不息的聚乙烯神血，日夜给孕育英雄的巨塔输送养料，让濒临崩溃的庞然大物不至于立刻倒毙，好歹再苟延残喘一阵子，蹒跚前行……我曾亲眼见到藤球队的年轻单身汉拎着一摞饭票，走进办公大楼买电视机，那台十八吋的日本货随即成为我们在凌晨偷偷摸摸收看《北斗神拳》并学习数百部色情片的利器。饭票的影响力越出了红砖围墙，使附近街巷的升斗小民肃然起敬。很可惜，我那份每月一百三十块的伙食补助是以人民币形式下发的。为了争夺这笔款子，母亲与我针锋相对，彼此攻防。本人尽管刚满八岁，但非常清楚那是我自己赚来的钱钞，是我自己凭真功夫过关斩将的辉煌战果，不应让她染指，而应全部换成黄灿灿的五元饭票和红彤彤的十元饭票！自然，母亲不容许大手大脚的奢侈行为在她眼皮子底下发生。女人软硬兼施，言之凿凿要替我管账、理财，要培养我节俭的好习惯，勿忘爹娘养育恩……不管怎么说吧，反正我必须上缴大半补助，父父子子兄兄弟弟，换来天下太平。他妈的，太平个屁啊！没天理啊！没天良啊！难不成这就是我忍受黄教练叼小麻雀的微薄利益？这就是我趁恶龙唐克克打瞌睡时勇夺全市第一名的奖赏？委屈、愤怒、仇恨的泪水夺眶而出，我无比烦恼，无比颓丧，以致年纪轻轻脸庞上已全是皱纹……言归正传，饭票毕竟不及真钱，没法买来游戏币，供我们在电子游戏厅玩个痛快。哦，街机，坚不可摧的街机，神奇的创造发明，外壳上印满花里胡哨的图案，令人技痒难忍。好一锅鬼怪、美女、遥远星系的牛杂汤！好一盘神话传说、探秘夺宝、第三次世界大战的什锦炒饭！那是八十年代城市小男孩的真正初恋。除了不停投币，不停搓揉机子的按键和摇杆，除了把一腔热血泼洒在打打杀杀的层层关卡之中，请问，还能怎样表达我们炽烈、深沉的爱意？这股欲望的激流长驱直入，势不可挡！没错，现实严峻，现金匮乏，但我们既然已踹开鸟笼，必将破空逋去，而唐克克的囤积术正好是一双双翅膀，轻盈、坚韧的塑料翅膀，供我们飞往电子游戏的美妙应许之地……

那年四月，太阳黑子爆发，夏季咣喤一声降临人间，潲水缸的馊臭一天比一天浓烈。这时候，挥汗如雨的诸位食堂大师傅发现，小面额饭票日益稀少，竟不得不频繁动用可爱的人民币找零。他们并没有账面损失，因此毫不在意。在唐克克带领下，棋队的孩童持续积攒小票子，不断收获真票子。我们在电子游戏厅逗留的时间越来越长，遭到偷窃、围抢，更挨过几顿拳脚。于是唐克克拉上藤球队的单身汉及其搭档，我说动两名摔跤队的同学，再招呼三五个只会瞎嚷嚷的武术队小冠军助阵，扑向电子游戏厅大显神威，报仇雪耻。实际战况证明，流传于跑马场内部的一份武力排行榜所言不虚，终究还是藤球队的壮小伙最剽悍。他们徒手将体校流氓的凶名狠狠敲进了街边痞子的脑壳。他们的双脚是两根杀人铁拐，踢到小混混身上如狂风扫落叶，摧枯拉朽，所向披靡。而我原本寄予厚望的摔跤队少年却根本放不开，畏首畏尾，更像是跑来劝架的。事后这两个家伙十分难为情，跟我解释说什么自己的腰劲太足，伤人的技术太精湛，怕下手过重把对方弄残。哼，全是些死变态！成天鬼鬼祟祟跑到你身后，拿他们硬似铝合金的手指头，抹上清凉油的龌龊手指头，捅你毫无防备的屁眼！难道屁眼也是铝合金做的？什么货色呀！臭不要脸的东西！……接下来，唐克克用敌人的污血给他钟爱的两台游戏机画上标记，宣扬自己征伐的功绩。他以公道的价格补偿了游戏厅老板的损失，将门旁看不顺眼的涂鸦统统刷掉。那一天唐克克豪爽得出奇，亦大胆得出奇。快活啊！他比我们伙食更好，补助和奖金更多，拥有真正的私人户头，完完全全自己掌控。他是当之无愧的孩子王。我则同样沉醉于酣畅淋漓的胜利、异彩纷呈的游戏以及纵情挥霍的无限快感，没去提醒唐克克第二天还有训练赛，结果他玩到深夜，把钱花了个精光。

写检讨势所难免，我们也满不在乎。倒是街头的局面越发微妙而棘手，难以察觉的骚动和纷扰如层层涟漪，不断向周边城区扩散，让许多放学回家的小孩子惨遭洗劫。鉴于这次打群架纯粹是一边倒，落败的一方深感耻辱，因此围墙内外的两拨人马旧怨再添新仇，足以催生任何不测的灾祸。又或许山雨欲来仅仅是假象？可能实际情况并没有那么糟糕？纵观市体校每年为世人奉献的百十来场斗殴盛宴，我们横扫游戏厅只不过是当中比较清淡、简朴乃至乏味的一顿工作餐，基本上看不到什么浓汤辣油。然而，关键在于，围棋队的小家伙竟也参与其间，这确乎惊动了领队盛大伦及某某老屁股主任。黄教练和另一位吴姓教练迅速挥舞大棒，名曰加强生活管理，严格限制队员的外出活动，一天二十四小时，一年三百六十五天。他俩还受命查清我们的大量现金到底从而何来。唐克克是领导的心肝宝贝，是今后冲击全省第一个职业段位的希望之星，所以教练们从不为难他。出于无法公开的原因，黄教练也从不为难我。但其余的孩子极易攻破，甚至，他们一想到主谋者要倒霉就禁不住暗自窃喜，他们小小年纪便学会了卖友求荣……不到五分钟，真相大白于天下，成捆成捆藏在唐克克衣柜深处的零票子被收缴一空。财源断绝，血本无归！……我们立即认定，是傻瓜苗裕投降变节，把秘密捅给了吴教练。好你个马屁精苗裕，好你个忘恩负义的小叛徒苗裕，好你个吃臭粪长大的狗杂种苗裕！唐克克阴险的歪嘴又豁成一尺宽，三角眼火光一闪，完美的报复计划在他漆黑一团的心底形成……

清晨五点四十五分，盛领队准时跑来咚咚咚敲门。男人早睡早起，撒完尿，拉完屎，刷好牙，洗好脸，再将头发仔仔细细梳到一边，往胡须里喷些花露水，随即撇下他还在呼呼大睡的老婆和孩子，步入温柔的黎明一路疾行。他分秒不差地赶到宿舍楼，以低沉的吆唤把我们吵醒，领着围棋队、象棋队老老少少几十号人去主体育场跑步。如在冬季，我们脑袋上还撒满了星辰，幸灾乐祸的星辰，黑乎乎的空气冰冷、滞重而不失甜蜜，无论男孩女孩，谁都不说话，昏昏沉沉紧跟前面的人影移动，像一列松松垮垮且直冒白烟的火车。我们腹内空空，各自拖着夜梦的尾巴低头迈步，吟味着安谧的低潮。盛领队穿了条七十年代紧窄、褪色的运动裤，路灯下他雄壮男根的轮廓清晰可见。这男人是我们伟大执政党丢在臭水沟旁又捡回来吐点儿唾沫揩光擦亮的螺丝钉。他每隔一阵子就毫无必要地喊上两句号子，升高八度的嗓音多少有些凄凉。迟至今日，当我再度回想起盛大伦坚毅的面容，重现他无比深邃的目光和轻微凹陷的腮帮子，才猛然发觉，男人长得颇像中学语文课本里蓄着八字胡的大作家马克西姆·高尔基。

　　主体育场破旧的观众席黑白斑驳，好像环状的宏伟棋局，又仿佛坐满了交头接耳的幽灵。我逐渐清醒，逐渐激动，继而欣喜若狂，因为住我们楼下的女子举重队正在湿漉漉的草坪上列队蛙跳。哦，粗短强劲的大腿，能将你冥顽不灵的脑瓜子生生夹爆！哦，结实有若铁打的青春肉身，令人涕泗横流！她们的主教练是个大冷天仍穿短衫短裤的怪物，他向来不讲情面，不容讨价还价，火气极旺，偶尔打一两个哈欠。无论刮风下雨，他一贯严厉督促女队员不折不扣地完成训练内容。她们在主席台上蛙跳，转眼又在观众席的台阶上蛙跳，并很快穿过布满了脚印、踩着嘁嚓作响的灰渣跑道，重新回到草坪上蛙跳。显然，女子举重队员是一伙力大如牛的蛙跳女神，她们的蛙跳使地球自转加速，使我激情勃发，体内涌起一股匪夷所思的冲动，助长发育的冲动，而发育学的知识你掌握再多也嫌不够。那个嘴里咬着个铜哨子的男教练让我非常非常嫉妒。他背着双手，叉开双腿，站姿傲岸，在他捏得碎老核桃的魔掌之下，女子举重队不啻为一个蛙跳的后宫，任他予取予求！我第一眼看见这家伙，便不由恶向胆边生，想往他饭盒里投些唐克克独门秘制的穿肠毒药，可惜一直找不到机会。真希望能取代他，占据女子举重队主教练的宝座啊。我喜欢那帮四肢发达的女大力士，尤其喜欢当中最丑的韦鲜花，因为她笑得最狂野，每每张开大嘴露出牙龈，相当性感……整个晨练期间，柴棍似的女子跳高运动员、肉山似的女子链球运动员、身形说不出为何诡异的女子体操运动员，还有长颈鹿般成群结队从男童头顶跨过的女子篮球运动员……我瞧都懒得瞧一眼。如果不是英姿勃勃的短跑女将从身边掠过，如果不是她们突然造成一阵不大不小的冰凉旋风，那么我饥肠辘辘的注意力肯定全放在举重姑娘身上。你要明白，两腿光光的女飞人是唯一可以跟女大力士媲美的高贵团体。而我，至为崇尚力量的瘦小战士，这时已彻底无法自持，于是频频冲刺，企图超过盛领队，超过黄教练，超过所有师哥师姐，包括该死的唐克克。后来尹秋琳和国际象棋队的柏芸承认，她俩正是因为本人晨练的疯魔表现，方才展开竞逐，想看看谁能够抢先把我摧残到发狂发癫。

然而，举重队的姑娘们念头很单纯，目标就一个，即全国冠军，亦即奥运冠军，世界赛场上与之争锋的朝鲜姑娘和泰国姑娘不过是小菜一碟，无足挂齿，她们的劲敌只有湖南姑娘和湖北姑娘，兴许还包括一部分福建姑娘。那群天生伟力的少女不愧为体工大队的王牌，堪称明星之中的明星，其伙食简直是运动员的满汉全席，令我们这些小屁孩目瞪口呆。光想一想也会消化不良！但举重运动员不得不像我控制大小便一样控制她们的体重。此外，为提高训练强度，韦鲜花与她情同姐妹的一众队友竞相服食超量的药剂，在训练馆里成千上万次提起杠铃，将锁骨压得乌黑，将脚下极其耐磨的硬垫子砸得哐哐哐直响。有时候，即使一天已经结束，即使已经吃过晚饭，洗过澡，药力却未消退，举重少女仍无法回到正常人的天地，跟我们要闹嬉戏，只好返回昼间挥洒汗水的铁疙瘩巢穴，给自己加练，练到亢奋的感觉消失殆尽，体内的狂躁归于沉寂。这伙新时代的神力孟四娘！把偷瓜的男子汉们殴得抱头鼠窜的一品勇猛夫人陶三春英灵附体！下半夜，我想象全身汗津津的韦鲜花也睡不着，还在黑灯瞎火的浴房里做举杠练习。这一连串动作不仅烙在她大脑深处，更铭刻在肌腱和筋骨深处，甚至进入细胞核，进入线粒体……为了驯服地心引力，姑娘一千次一万次把杠铃举过头顶！哦，女子举重队，她们的汁液里蕴满大火。她们的深呼吸，她们结实的胸脯、精华的腹肋，她们用布条和护腰带紧紧扎住、充盈到近乎爆炸的肉身，她们沾满镁粉的双腿和双手，她们泰山压顶面不改色的英勇气概……长久以来一直是本人的性幻想当中无可或缺的剧毒物质。

我渴望混进女子举重队的宿舍一窥究竟，那儿肯定是一座另类天堂，力大无穷的天使们在其间洗衣服，把毛巾和床单拧得粉碎。但我始终不敢行动，担心遇上终年穿短袖的恐怖教头，被他一掌拍到脑浆迸裂。九月底，连续几个早上没看见韦鲜花出操，我不免挂念，起初以为她请假回家了，或者经痛难支卧床休息了……不对，我意识到，举重队员从不回家，从不生病，举重姑娘从不痛经，连月经都少之又少，几乎与男子无异。这是公开的秘密。找人一问，才得知韦鲜花训练时不慎伤到腰胯，让队友们抬回了宿舍。那天我恍恍惚惚地上课、打谱、做死活题……好不容易挨到晚餐时间，去食堂路上，我凑近尹秋琳，想跟她单独说句话。"陆小风，"白胖如猪的王媛媛在一旁嚷道，"你快滚蛋。"本人不加理睬，反而使劲冲我们棋队的黑美人挤眼。王媛媛大惊失色，不肯相信一个才读三年级的小王八蛋，竟敢勾搭读五年级的师姐尹秋琳。

王媛媛，白胖如猪的王媛媛，四年级数学不及格还好意思仗着个大爸爸挤进围棋队瞎混的蠢货王媛媛，老子有空再收拾你。她当然不会知道，我找尹秋琳是想借条裙子穿穿。黑美人沉默寡言，不该管的事情从来不管，然而，她唇边那颗大乌痣暴露了少女的风骚本性，这恰恰是尹秋琳将来的男友小白狼的看法。不过，我问黑美人借裙子那天，令她委身的英俊大流氓还没有出现，他眼下只是个嘴叼香烟的路人某，十年如一日从围棋队的宿舍前低着头成百上千次走过。

我主动向尹秋琳坦白了自己的计划：穿上女裙，挎上女包，混进女子举重队的宿舍，去看看韦鲜花。我打算在男卫生间换裙子，但尹秋琳不同意。"如果让谁撞见，"黑美人说，"就麻烦了。"其实她是害怕裙子在又脏又臭的粪坑上沾到屎尿。我只好听从尹秋琳的建议，在她房间里换装。尽管王媛媛和另一名女队员不在屋子里，我脱衣服时还是格外紧张。室内空气充满了细沙似的暗影。姑娘们枕边的布偶玩具似有灵性，黑眸子闪闪发亮，通过一张吴字形梳妆台的镜面朝我眨眼。外头传来唐克克的笑声，他难听的公鸭嗓极具穿透力。说不定正在殴打阿阮。希望是正在殴打苗裕。当然，这不太可能，因为那小子的父亲是个体毛浓重的游泳健将，更是市公安局的刑侦大队长。"你怎么跟王媛媛一样白，"尹秋琳伸手弹了弹我瘦不拉几的胸膛，没弹出什么动静，"你比她还白。"我讨厌王媛媛，更讨厌跟王媛媛比白，那个蠢货玷污了白色。我提醒尹秋琳，虽然她比我大两岁，却并不是我师姐，相反应该是我师妹，这一点必须讲清楚。行，脱裤子吧，黑美人说。

我男扮女装，穿上蝶领短袖连衣裙，顺利潜入举重姑娘们居住的楼层。市体校的运动员宿舍是一片人为分隔成很多区域的巨大建筑群，它们彼此嵌合，或以空中走廊互相连接，结构错综复杂。如今，我回忆这些飘荡着种种清新或丑恶气息的通道、晒台和屋舍，眼前会浮现一个环形牢狱。但是跟英国人边沁的设计不同，这儿并没有一栋可用于监视囚犯的中央塔楼，而代之以一座主体育场，它简陋的观众席下方依然是一圈朝外开门的房间、仓库、公共厕所，天花板呈四十五度倾斜，特别压抑。当年盛大伦领队搬入新居之前，在里面住了两年，权当过渡，他儿子的身体发育却因此受到严重影响，不仅平衡感极差，脑袋还长成了一个不等边梯形。

　　套上裙子，我跟女孩没什么两样。不过尹秋琳为慎重起见，又或者是贪图好玩，翻出女鞋女袜给我穿上，女帽也戴上，更帮我抹了点儿口红，扑了点儿香粉，涂了些指甲油。唉，画蛇添足，不伦不类，活像个失败的人妖。我无意再讲述尹秋琳其余不堪入目的举动。没关系，要欺骗老眼昏花的管理员大妈已经足够。走进女子举重队的神秘楼层，看到神秘长廊上晾晒的各色胸罩、裤衩，以及诸多用途不明的神秘物件，我万分惊奇，感动不已，忘记了自己为何而来。空气中弥漫着女大力士们赤裸的幻象。闭上眼睛，将这些美不胜收的影子统统吸入双肺，吸入灵魂！我太过陶醉，不禁淌下泪水，整个人晕晕乎乎，搞不清是应该继续前进，还是立马掉头为妙。幸好有个姑娘认出了我。她大概跟韦鲜花同姓，来自本省最穷也最狂暴的革命老区，是女子举重队里有名的假小子，极能吃苦。尽管她唇髭浓黑，颧骨粗硕，浑身肌肉坚硬如铁，尽管她比我更像个爷们儿，可是姑娘心很细，脑子很活。看见我这副怪样，她诧异的神色一闪而过，旋即领着本人走向韦鲜花的房间……那天傍晚，下过一场阵雨，暖烘烘的地面腾起一团团白色怪魂，拥有成百上千扇窗户的宿舍楼变成了一座大蒸笼。许多精壮的汉子仅穿一条三角内裤，把他们或长或短、或粗或细的手脚搭在阳台和走廊的围栏上接引凉风，但一无所获，反倒是寡廉鲜耻的姿势让他们愈发燥热，愈发不耐烦，如果不去训练场自找苦吃，如果不干点儿作奸犯科的勾当，生活就毫无欢乐，毫无指望，连泡屎都不如。他们连声怪叫，捶胸发吼，想象自己是冲进圆形竞技场的猛虎雄狮。可惜我们徒有竞技场，却没有提盾执斧的角斗士，夕阳下只剩了一个掷铅球的大胖子还在独自训练。女运动员对于男队友粗野的兽嗥充耳不闻，对于他们露肉的行径熟视无睹。你拿不出成绩，抢不到奖牌，穿不上国字号比赛服，光喊顶个屁用？这番无声的责难，令市体校的少年郎无地自容。

实际上，我并不是第一次来韦鲜花的宿舍。与跳水队姑娘不同，举重队姑娘喜欢把房间装点成一个香喷喷的小天地，在其中她们可以暂时做一名普通少女。节日清晨，阳光穿过韦鲜花精心挑选的玻璃坠饰，将闪闪烁烁的金色星点洒满四壁和天花板。墙上贴着港台明星的海报，郭富城、吴奇隆等人青春正盛，丝毫未现今时之老态。韦鲜花的床铺紧挨窗台——姑娘在举重队的地位可见一斑——此刻她正望着楼旁叶子快掉光的高大木棉树，神色很平静。看到我发红的眼睛以及脸上冲掉了脂粉的泪痕，似乎为她哭过，韦鲜花立即想哭，我见她要哭，也准备跟着哭，谁料她居然就此打住了。他妈的，倔强到可憎的女大力士！庸俗的假象绝对无法使她动摇。"你怎么样？"我问韦鲜花。"肌腱断裂，要休息半年，七运会是泡汤了……"当时本人还从没参加过全国比赛，注意力仍放在省内的敌手身上，所以，她这番话让我感到眩晕。

"接下来怎么办？"

"养好伤，继续练，"姑娘说，"我家在农村，没退路。"随即又补了一句："不像你。"

末尾这三个字纯粹多余。韦鲜花，你完全不了解我难以启齿的忧伤！众多的忧伤对八岁小男孩而言过于浩大！那一刻我真恨她啊，真想转身就走！但我不敢。如果我敢，则可以跨越一切深沟巨壑，终结一切苦恼。后来我又去找过韦鲜花几回，直到姑娘能自己下床。尹秋琳嫌那条裙子被本人穿过好多次，让她起鸡皮疙瘩，索性把它送给我，作为变身的常备道具。真烦呀，真想他妈的一抬手扔到楼下！但我不敢。我不敢招惹尹秋琳，即使她爸爸不是警察，只是酒店经理。而韦鲜花再也没有大笑露龈，再也没有跟围棋队的孩子打打闹闹，乃至再也没有与我们同桌吃饭。她一刀斩断了往日情谊，我忘了她究竟去没去成七运会。

韦鲜花的伤病挫折促使我想到自己的处境，事实上，本人的脑袋瓜已经冻伤……或者应该说，无论何时，我们对自己的处境并不是非常清楚，虽然每位选手的天灵盖上都竖着一台三百六十度不停转圈的灵敏雷达。战场极其广大、深远、纷繁。劲敌来自北边，主要来自底蕴深厚的旧省城。那儿有一伙小坏蛋，智力早发，说另一种语言，跟我们格格不入，又永远压我们半头。新省城想胜过旧省城，全仗唐克克奋力拼杀，顶多再指望指望大师兄关卫海，我本人遇到北边的老对手往往凶多吉少，苗裕、阿阮这类蠢材上阵则等于送死，可以忽略不计。至于全国的情况，根本无从想象，我满头雾水，仅仅在棋队订阅的报刊里零星瞥见一帮神人魔兽的朦胧身影，他们如此强大，却也如此不真实。再往上，图景又一次变得清晰。当时韩国的李昌镐已初露锋芒，日本的超一流棋手挨了聂旋风的九连斩而稍现颓势，不过小林光一先生依旧是我心摹手追的大师，他那些跨海传来的棋谱看似浅白，可你连皮毛都学不到……唉，更多时候，几乎无暇细思！因为胜负太残酷，而本人的性格又太软弱，成天患得患失，顶不住排山倒海的巨大压力。我不止一回在赛场里抱头痛哭。我放声号啕，我悄声抽泣，咸丝丝的眼泪滴到木头棋盘上，青菜粥似的鼻涕淌到塑料棋盒上，泛滥失控的涎液将白底绿线的对局记录纸打湿。我一次次阵前饮恨，仆倒于强敌脚下，四仰八叉，七窍流血，面目全非而难以辨认……反正死状惨不忍睹。我深陷泥潭！要么形势大好却阴沟翻船，要么力竭毙命，完败收场……多少个一着不慎，满盘皆输！失败苦涩啊。我饱尝这份活见鬼的沉重苦涩，耗尽了下棋的乐趣，备受煎熬。

但不管怎样，本人也有过光荣的时刻，难以磨灭、永志不忘的光荣时刻：我打败过邹骏捷。这位如今毫无名气的棋手，泯然众人的职业五段，当年比唐克克更令我生畏，是个体内潜藏着庞大未知能量的怪胎，然而，根据圈子里密不外传的颅相学，他非比寻常的头部形状从一开始便昭示了命运。对邹骏捷来说，那场失利算不上什么挫败，几年后他凭着自己千锤百炼的头部形状直升国家少年队，我则于同一时期离开棋界，告别修罗场，真正重返校园。各偿所愿，皆大欢喜！不过本人将记住那么一两次光辉战绩，因为这样的光辉战绩寥寥无几……那个下午，那一局棋，那一秒钟，我让小天才邹骏捷领教了兔子蹬鹰的绝技，让他尝到了孤立无援的难受滋味，并最终使他失去一轮全省少年冠军的光环，令唐克克白捡一个便宜，捧回金杯。我当然记得邹骏捷的冷汗热汗从鬓角淌下的种种细节，记得他双眼仿佛已化为两泡糖浆，十分之灵动，景象特别精彩。他嘴巴因缺氧而大大张开，脸颊通红，身体一点一点俯向棋盘，似乎想纯凭目光把生了根的棋子抠出几颗来，绞个粉碎。邹骏捷，今天你休想骑在老子头上耀武扬威！我尽情享受着千载难逢的良辰美景，不肯轻易放过。假如它要扩展为无限，侵占我人生之书的其余篇章，假如它仍保存于时间当铺深处，可以拿我三十多年在世光阴的无用下水和边角料来兑换，本人将毫不介意，且将毫不犹豫把自己的任何一日、任何一周、任何一年抵押掉而毫不吝惜。快来吧，让胜利的蜜汁好好浇灌我黑白横斜、昼夜灼烧的焦肠渴肺！哇哈！金角银边草肚皮！哇哈！无事自补，必有侵袭之意！……观战的大人小孩越来越多，各队的教练们纷纷走过又摇头走开。邹骏捷很心烦，输给我比输给唐克克更让他丢脸，更让他咬牙切齿，他不断进化的头部形状为此停滞生长了几分钟，苦苦挣扎，困兽犹斗，死也找不到解决办法，唯有建议他投子认负，然后躲进厕所偷偷哭一场——太丢脸时，你绝不能当众哀号，这么做只会招来更多耻笑。

唐克克果然夺下冠军。他对我并无谢意，他真正的目标是职业初段，是广阔的王者之路。邹骏捷也绝没有一蹶不振，这家伙的头部形状注定要把我，把唐克克，再把他自己的师兄刘青霖统统击垮，远远甩开，从此一骑绝尘……

比赛一结束，全体队员便登上车船，从几百公里开外的陌生城镇回到市体校，立即投入紧张的训练。做不完死活题，就不许吃饭，不许睡觉，甚至更吓人：不许玩耍。懒驴！笨鸟！胆小如鼠！软绵绵的羊驼！菜狗！猪猡！黄材晋狂骂我们。围棋队一时间变幻为笼罩着失败阴霾的凄凉动物园，唐克克是唯一仍保持人类形态的游客。他顾盼自雄，他优哉游哉，因为两位教练也拿他没辙，不是他对手。这家伙暗中指指点点，帮队友应付困局，既怜悯又鄙视我们的简单头脑。唐克克已经看明白，某些难题只有他自己能攻下来，我们这些个朽木粪土根本没指望找到正解。生死有命啊！只好睁一只眼，闭一只眼！……我们的岁数是在一次次不讲情面的严酷竞逐中计算并增长的。对于指望跻身职业圈的棋童来说，最初的六七年光阴事关重大。这段无果而终、渐渐加速流逝的日子里，我追随各式选拔或集训的信风洋流到处狂奔……在哈尔滨道外区，我遇到窃贼，不幸失去了证件，导致那天下午没进入赛场，被判弃权；在太湖鼋头渚，我不慎落水，差点儿淹死，事后肠道内多出几百亿个寄生菌，终日拉稀不止；在昆明老城，主场作战的云南棋手让我们吃尽苦头，这些坚韧不拔的高原小男孩相当厉害，五官长得相当简明扼要，妄图轻易从他们身上捞分数，不啻是异想天开……在甘肃兰州，本人亲眼见证过一个北京大胖子晋升九段的辉煌时刻。他收获了很多鲜花和掌声，处于职业生涯的巅峰期，力量之浑厚，堪可击败风头正劲的大国手马晓春。但是，我等始料未及，这位孩子们眼中的传奇英雄竟从此堕落，不再投身于赛事的洪流，去争夺围棋神殿的闪光荣誉，他掉转船头，欣然接受一纸某著名学府历史系寄出的录取通知书，驶入一条安安稳稳、平庸乏味的航道。我母亲这类无知无识的小市民惯把"急流勇退"挂在嘴边，对北京大胖子的做法倍加赞赏。在他们看来，铁饭碗才是人生的真义，蘸了墨水的铁饭碗更是无与伦比，因此我外公的五个女儿之中有四个嫁给老师，有一个没嫁掉，自己当了老师，外公家几乎是教育局的招待所和诸多学校永不关闭的食堂，这也成为他立足省城的秘密武器……言归正传，北京大胖子的做法让人沮丧，不仅白白浪费了上天的眷顾，还贬低了我们极度珍视的价值。如果将棋力转换为武力，他可以一掌轰死七百八十八个叽叽喳喳的业余三段。此等绝顶高手去吃学者这行饭，在我们看来，与吃屎无异。我母亲只懂得眼前的蝇头小利，巨人的世界又岂是她所能理解？或许，那个原本野心勃勃的男子在某个晚上突然傻掉了呆掉了也未可知？没准儿他已经魂飞天外，魄散九霄，已经沦为一具行尸走肉？总之我母亲把北京大胖子的可悲故事当成她蝼蚁人生观的又一次胜利，四处宣传，还故意让亲戚朋友误以为她认识一名围棋九段。

六七个寒暑间，我揣着全国粮票在各地乱跑，时而郑州，时而杭州，不过去得最多的地方还是旧省城，经常一待四五个月，那儿阴冷的冬雨让我骨头阵阵发痛。孤身在外使我丧失了自制力，早早染上手淫的恶习。几年后，有位姑娘怀揣着救人一命胜造七级浮屠的崇高信念，允许我搂搂抱抱，但我不想搂搂抱抱，只想回家手淫，姑娘又暗示我可以吻她，但我不想跟她亲嘴，只想回家手淫……当初，正是在郑州强者如云的棋队里，我遇到了自渎界的宗师李一凡，这个白白净净、双唇肥厚的冬瓜脸河南少年不到十五岁，只比我大两三岁，可他已是职业初段，更在许多隐秘的领域堪称老手。李一凡瞧不上唐克克，对我却脾气颇好，不仅为我打开了自娱自乐的神妙大门，还附送一部刚出版还热乎的《白鹿原》，以及一部书页间印满方格子、看上去满目疮痍的《废都》充当辅助材料。起初我不明白李一凡那张冬瓜脸为何时时流露忧郁的神色。按理说，他前景大好，应该没什么可担忧的……那阵子唐克克近乎失踪，我一个人住在宽敞如仓库的杂物房内，因食物匮乏而整天饥饿难忍。如今回想往事，那间屋子是多么温馨啊！广袤的冬夜在高楼外呼啸，在门窗上拍打，妄图撞进来，将我活活吞噬。抵御黑暗的床头灯脑袋低垂，照亮一小片椭圆形区域。漏斗般延展的阴影逐渐加深，变厚，覆盖四周，落在其中的大衣柜里爬满了蟑螂臭虫，翻卷的墙皮状似一层封冻的黄昙花，角落堆放着灯管、旧书、卫生纸、空床架、军大衣、穿烂的足球鞋、生锈的自行车、脏兮兮的棉手套，外加大大小小的袋子箱子。也许每件物品皆蕴含一段往事，暗藏一个秘密，并且散发特殊的气息……只可惜，我无暇探究它们的隐情，我吃过太多冲鼻的土芹菜，吃过太多可怕的肥猪肉和动物肝脏，以致瞳子发黑，嗓子眼发紧，天天处在食欲不振与营养不良的水火交攻之下。我日复一日上街买酸奶和火腿肠，又羞于写信回家向我那勤俭到近乎冷血的母亲伸手要钱。在郑州大半年，我吃掉了这辈子该吃或不该吃的所有火腿肠，各种风味、各种包装、各种形制的火腿肠，连同大量防腐剂与人工色素……直到今天，我看见、闻见火腿肠依然想呕，我如果恨谁，会把他比喻成火腿肠，跟火腿肠做爱仍是我脑海中最阴森最悚怖的噩梦，简直不堪言状。

我十二岁那年，在一个刚下过大雪的深夜，坐火车抵达郑州。黄材晋教练、唐克克还有我，三人来到一间空荡荡的围棋训练室，将椅子拼成床，凑合着挨了一个晚上。唐克克迷糊中不时干咳，暖气片不时呜咽，远处的锅炉隆隆低吟，让人无法入睡。窗外是一轮圆月，照得放晴不久的世界莹莹发白。我步向屋外，在松软的积雪上踩来踩去，欣喜于冰冷、轻盈的新鲜体验。日后我千百次走过北方冬季银装素裹的城区和郊野，年复一年脚下嘎吱嘎吱作响，恍惚全是那一晚踏雪的悠远回音。河南围棋队的总教练冯先进六段跟我们是同乡，他心系老家的围棋事业，促成两个遥遥相隔的省份签署协议，让我和唐克克来郑州学习。黄材晋旋即南归，留下我们接受锤炼，时有时无、落自九天的锤炼……伙食的粗劣不必再提，反正食堂管理员大叔因为我屡屡将吃不完的馒头夹在桌板底下，几乎要动手揍我……还是先谈谈李一凡的忧郁，这哥们儿暗恋同队的大师姐，又因为毫无节制的手淫而眼圈乌黑，那是两道阴沉、空虚、厌世的烙痕，是猛烈燃烧的性欲之环，是他夜间疯狂消耗的铁证。小伙子想女人已经想到饥不择食的地步！不过，他真正的焦虑更为严肃，更为深重。三四个星期后，跟李一凡混熟了，我才总算明白他为什么整日愁眉不展，晚上频繁失眠。"你注意姓王的小家伙，"冬瓜脸少年说，"他天赋极佳……"确实，那孩子天赋极佳。他来自开封府，虽比我小三岁，棋力已胜我一等，似可轻易地踏上职业棋手的神圣台阶……当时我显然不太相信，姓王的小家伙也会像其他人一样，尝尽艰难困苦。这名玉面神童再三受挫，多年来沮丧地游走于自己魂牵梦绕的竞技场外围，几近万念俱灰，最终在淘汰线的锋刃上豁然开窍。绝处逢生啊！他从此一飞冲天，高歌猛进，直至击败李昌镐夺得世界冠军，这才合情合理地迅速凋谢，退出第一线竞争……他那样的小怪兽正躲在各个省份暗中发育，悄悄成长，无论是唐克克还是李一凡均束手无策，只能眼睁睁等着他们弯道超车，头也不回地把你抛下，离你一日比一日更远，绝无可能追上。我等情何以堪！十五岁的河南少年李一凡相信，各人的根器和悟性实有差异……然而，很遗憾，谁都搞不懂根器和悟性到底是什么鬼东西，谁都猜不透彼此的根器和悟性孰深孰浅，孰高孰低，孰优孰劣，我们不得不累死累活折腾一轮，乱滚乱爬搅攘一番，类似于花上七八年天天练剑去杀一伙你完全打不过的仇家……或者换个平实的说法，去豪赌一场！正可谓人生如棋，落子无悔啊！没办法从头再来啊！……鉴于我们是奇迹化身的概率极低，是庸才愚夫的概率极高，因此难免失败、悲伤、彷徨、绝望，难免手淫、犯困、白日做梦……冬瓜脸少年问我要不要抽支烟。他漫无边际的愁绪必须抽支烟才有望缓解。这股愁绪或许不会一眨眼就把人染黑，但是，不难感觉到，它正缓缓向我五脏六腑的末梢渗透，情势无以逆转……

春节临近，游荡于行人稀少的街头，我经常忘记自己姓甚名谁，如同闯进了一出听不太懂的新编豫剧。我缩在从南方大老远穿来的羽绒太空衣里，缩在瘦小的躯壳内，哆哆嗦嗦，走过暂停营业的烩面馆，走过无精打采的西餐厅，走过酸奶和火腿肠栖身的杂货商店，去训练室独自打谱。说不定到了七月份根本没有人来接我，根本没有什么定段赛、升段赛，因为时间被神秘地绊住了，周而复始，我似乎并未休学一年，我不停往前迈步，实质上在不停绕圈子，棋力无半点提高，体重也无半点增加，只有袜子越来越短，裤裆越来越窄……每逢周六，我获准去冯先进老师家吃顿饱饭，过节还可以在客厅的旧沙发上睡一晚。整个星期七天七夜一百六十八个小时我就指望这场大餐，相比之下，食堂的饭菜无异于猪食，是比猪食还差劲的劣等猪食……去死吧，肩上搭着块臭抹布的食堂管理员大叔！在冯老师家可以吃到白米饭，可以吃到煸炒得油亮油亮的四季豆，可以吃到精致的各色小菜，而不用再吞食大锅水煮的烂茄子老南瓜……有一次，我不得不换个地方，去宋领队家吃一顿饭，男人长得好像一只鸻形目的孤傲水禽，他满脸雀斑的老婆弄了整整一盆旱芹菜炒肉末……旱芹菜！永生难忘！它能让你堆笑的面孔发蓝发紫，让你失灵的舌头发僵发硬，让你想跳楼自杀！宋领队的老婆拼命给小客人夹菜，我则拼命忍耐，直至忍无可忍，耐无可耐，才触电般从椅子上弹开，冲入卫生间狂呕不已，绿油油的呕吐物将洗手池彻底堵住……于是，我重新回到冯老师家度周末，他所钟爱的家乡辣椒使我欲仙欲死，他尼古丁上瘾，屋子内外到处是他吸烟的幻影和痕迹，这场人为灾难把阳台的娇嫩花草熏得焦黄发暗，而他猪肝色的嘴唇，揭示了难以设想的肺部情状……棋队总教练的儿子冯小蛮，是个喜欢打喷嚏、裤兜里塞满脏手绢的急性鼻炎患者，也是个电子游戏厅的最佳伙伴，他精通《圆桌骑士》、《铁钩船长》、《变身忍者》和《恐龙快打》等十余款最经典的横版过关游戏，因此无论是在现实中还是在虚幻的游戏世界里，我一直跟随他，省下很多力气，也遇到很多麻烦。冯小蛮的名字，想必来源于冯教头久居中原大地的深刻感悟，这让他先天不足的头生子非常引人注目。走进学校或者体委大院，肯定有人冲我们打招呼。三五成群的同龄女孩只要一喊冯小蛮，往往随之传来一阵清脆悦耳的欢笑声，使你心旌摇荡……不仅如此，棋队里有个姓席的姑娘还自作主张，将我改名为陆小蛮。本人听之任之，未加抵抗。我恋爱了，再次恋爱。前途算个屁！紧接着又失恋了，再次失恋。哦，席芊芊，席芊芊！明天爆发核战争又怎样？……夜间的时光大部分用来翻看武侠小说：读梁羽生的《散花女侠》可以学到点儿明朝历史，读古龙的《圆月弯刀》不免淫欲勃发。如果李一凡等人在隔壁玩四国军棋，我就跑过去当裁判。我自告奋勇，我认真负责，我一声不吭，好让河南大哥们觉得我陆小风是个天生天化的四国军棋裁判，最擅长面无表情地履行自己的职责。我喜欢这份差事，尽心尽力做好这份差事，更借此成为不可或缺的角色，混迹于人群……

某天黄昏，席芊芊一巴掌拍在我脊柱外戳的驼背上，说是邀我去开封府游玩。出人意料哇！姑娘有个堂姐是当地的大专生，可以到她学校白住一晚。我们在双休的礼拜六清早动身，迎着华北平原的冷漠晨曦，登上五毛钱一张车票的铁皮专列，前往那座积压了许多光阴沉渣的古城。我坐在事先备好的旧报纸上，发现滑动门哐喧一下关闭的车厢里没几个乘客。周围充斥着机油味和哒喠哒喠的轮轨撞击声，圆形大窗洞投下黄兮兮的初春阳光，电线杆的影子也依次扫过，极有节奏感。铁路两旁的景色朦胧不清，十分贫乏，恍如空寂无人的阴间，而诸殿阎罗正躲在季节深处，搂着各自的老婆呼呼大睡，他们像烙饼一样挨个儿翻身，引起大地颤抖。火车小心翼翼穿过十代冥王阵，唯恐冒犯神灵……席芊芊百无聊赖，执意要教我讲几句河南话，本人依旧听之任之，丝毫未加抵抗。有一刻，她靠得那么近，仿佛下一秒钟就要用河南话对我说："俺要嫁给你。"可是她什么也没说。我们走出车站时业已暮色冥冥，暗沙落下，群灯亮起，让人错觉这座城市不妨是任意一座中国城市，甚至不妨是你最熟悉的那座城市……夜幕笼罩的街道统统一个样子，几乎可以沿着某一条路径，走回自家院落，或走到任何一个你想去的地方。只怪我们的法力不够强大，做不到这一点。

当晚我、席芊芊以及她堂姐三人挤在一张单人床上。我弓身缩脚侧卧于铺尾，席芊芊和她堂姐干脆半躺半坐着通宵闲聊。第二天上午刮起大风，下起瓢泼大雨，雷公电母连连发威，旧城区灰茫茫一片。我们哪儿也没去成，只好窝在师范大专生的宿舍里打牌算命，吃枣糕充饥，吃零食解馋，终日昏昏欲睡，又不敢踏实闭上眼睛，怕错过返程的火车。半夜，席芊芊坠入了梦乡。她堂姐凑过来吻我，那一吻似乎极不真实，犹如三轮满月一同升上天空，又瞬间破灭。

拂晓时，我还想跟女大专生偷偷亲嘴，却遭到拒绝。"可以带你们去看一出《齿痕记》，"她说，"免门票。"我大为懊恼，既恨她板起了面孔，更恨自己鲁莽轻率。女人啊，说翻脸就翻脸！但我还是接受邀请，去看了一场挺闹腾的豫剧，才心有不甘地返回郑州……

河南之旅的头三个月，唐克克始终神龙见首不见尾，忙于参加各式各样的选拔比赛。元宵节一过，他重新现身，屁股没坐热就急匆匆上街觅食。旧省城的刘青霖、邹骏捷这时恰好也在郑州稍作停留。算上唐克克，他们是名副其实的三巨头，脑袋形状的发达程度仍在伯仲之间，彼此不服气，谁也镇不住谁。刘青霖风度翩翩，是个眼睛高度近视的富家子弟，仗着自己有几个臭钱天天下馆子，因此没受过我们的油水寡淡之苦。唐克克拍胸脯向刘青霖吹牛说，在宿舍附近那家快倒闭的西餐厅里，他一顿能吃五十个煎鸡蛋、八条烤肉肠、八盘焖青豆、八份奶酪布丁、六只培根面包卷、六片松饼，外加三大杯甜牛奶和一海碗蔬菜沙拉。刘青霖不相信其毕生对手的算路已精准到如此程度。"如果你在两个小时内全部吃完，我去付账，"钱包鼓鼓的四眼田鸡操着他骄傲的方言，撂下话来，"如果你能多喝五杯橙汁，我再另给你十块钱。"提议正中唐克克下怀。十块钱啊！令人激动的赌局！我敢说自己的大嘴巴师兄赢定了，他有备而来，他天赋异禀，他枯瘦的躯体里塞着一副鲁智深的肠胃，足以在饭桌上变不可能为可能，完成违背常理的挑战。更何况他饿了整整一个星期！他气吞万里如虎！虽然还没开吃，刘青霖的十块钱已是唐克克的囊中之物。这将成为新省城的又一次胜利。冲吧，用餐又一决雌雄！饥汉不择生冷！他铆足了干劲啊！他即将施展让人叹为观止的填鸭绝技！服务员端来一脸盆煎鸡蛋，并很快把其余食物上齐。他们相当勤快，他们的热忱非同往日！唐克克慢条斯理，不动声色，边吃边与刘青霖、邹骏捷闲聊，交换棋界的最新情报。少年三巨头难得凑在一块儿东拉西扯，场面温馨……女领班走过来，建议我们合影一张，留作纪念。"下回再照吧。"唐克克摆手拒绝，他埋首于洗脸盆，正忙着扫荡煎鸡蛋。其实人人都心知肚明，不会有下回了，餐厅将在此次暴饮暴食的史诗大戏收场那一刻关门歇业。消灭完培根面包卷，唐克克转而佯攻烤肉肠，同时进剿奶酪布丁。我看到刘青霖的茶色眼镜片间或反光，禁不住心里发毛。事情不简单啊！为什么总感觉他已经稳操胜券？这是不是旧省城富家子在现实中施展的一记滚打包收？要提醒唐克克恐怕来不及了，我亲爱的师兄吞掉太多煎鸡蛋，喝下太多甜牛奶，持续膨胀，正游走于蛋白质中毒的悬崖边缘。邹骏捷原本坐在另一张桌子旁抠鼻屎，此时他堆满童稚的扁菱形面庞闪过一丝冷笑。唐克克打着嗝，两腮肿胀，两眼充血，没法意识到自己中计了。他一股脑儿吃下所有蔬菜沙拉，竭尽全力保持清醒以及快活的神情。他从不相信刘青霖的友爱和慷慨，也从不相信邹骏捷的乖顺和敦厚，认为这两个家伙一向藏奸耍滑，狼心狗肺。他，以力战搏杀著称的少年黑旋风，该狠宰对手时绝不手软的凶悍小霸王，今天必须灭了四眼刘青霖的嚣张气焰，迫使他付出代价。唐克克挥舞着锋利的餐具，絮絮叨叨，不断重复一两句没意义的傻话给自己加油鼓劲，不断擦汗，不断嘲笑旧省城的富家少爷。"莫担心，"刘青霖的方言很是动听，"我不会反悔嘛。"唐克克听罢，再度埋头痛吃，不管三七二十一猛嚼食物。"刘青霖，焖青豆，刘青霖，焖青豆，嘿……"他已近乎昏厥，又突然绕桌疾走，让豆子从丧失了吞咽功能的喉头滑落下去。

"要不要拉泡屎再回来？"邹骏捷问道，"时间还够。"

"可以去拉屎。"刘青霖把一包餐巾纸递给我，好像本人正在照料一个生活不能自理的痴呆老汉。

"不过，呕出来也算他输。"

唐克克这下子垮塌了，完蛋了，报废了，我悲哀地想。他饱胀欲裂的身体呈现为一个愚形，好像大头鬼。他正在发育隆起的喉结一上一下，让人联想到一条快要断气的麻糕鱼。这番丑态将传遍棋界，往后大伙会不断来问他，到底拉没拉那泡屎，那泡无中生有的臭屎，那泡一发不可收拾的烂屎。比赛前，他们会花个两三秒钟，即兴演一场简洁明快的活报剧，表现唐克克肚子撑到连翻白眼的极端状态。不能吐！压住！压成屎橛！哦，括约肌！主演者摇摆身躯，神色狰狞地负隅顽抗，撅几下屁股之后猛然站直，恢复常态……果然，唐克克没挺过来，他彻底趴下了，从此一蹶不振，神勇荡然无存，对手们发觉他风格大变，战斗时越来越缩手缩脚，越来越优柔寡断，凌厉的攻杀招数越来越少见。最终，唐克克失去了刺客的美名，沦落成大小赛事当中人见人爱的好好先生，直至完全消失于职业赛场。他这番结局，多年以来我一直坚信，与刘青霖的圈套关系极深，可惜谁都不买账，或者假装不买账。唐克克捉弄苗裕，收拾街头小混混，今天终于轮到他被人捉弄，被人收拾。轮回在世间转动……

不止一次有人问我，唐克克究竟有没有拿到刘青霖的十块钱。时隔久远，真相早已不值一提，当事人也早已各奔东西。实际上，我们是怀着老死不相往来的愿望彼此疏远的。那段岁月构成了我们共同的秘密。我们并不乐于将其示众。而这份羞愧之中，多多少少还包含着不屑。从何谈起啊？要么保持沉默，要么胡诌八扯。除此以外的第三条路很难走得通。如果非要我再说说，非要我揭开谜底……好吧，活马当死马医吧，管他妈的虚实真假，姑且图个嘴皮子爽快吧，别无良策……那个唐克克终生铭记的下午，城区宁谧无风，阳光惨淡，透过剥皮树的枝叶照射下来，行人寥落的街道斑斑驳驳，好像压扁的、死掉的金钱豹……照理说，此刻我们本应该坐在训练室里下棋，可我们却坐在西餐厅里，见证唐克克超越生物学上限的食量。刘青霖的十块钱赌注他拿到了，又没有拿到，因为他强行灌入最后小半杯橙汁时，已经神志不清，整个人斜瘫在餐椅上打嗝，些许浆液和碎渣从他嘴巴及鼻孔流出来，顺着他泛青的腮帮、静脉扎眼的脖子、起起伏伏的躯体往下淌，滴到地板上……

"究竟算不算他赢？"邹骏捷少年老成，十分严谨，向来钉是钉，铆是铆，他一定认为唐克克既没喝完，也没吃完。当然他不敢明说。怕挨揍啊。

我并不怜悯唐克克，但还是死死盯着刘青霖，企图从道义上、感情上对他施压，好让他认清自己是个贱种，彻头彻尾的贱种。

"算他赢了。"刘青霖讪讪地托了托金边眼镜。"现在，"他站起来，按平时的习惯抖动裤裆，直至小鸡巴感到舒畅，"是先扛他回宿舍，还是直接去棋室？"

训练很枯燥，很紧张，很费神。我满头雾水，根本记不清教练们讲过什么，又往棋盘上摆过什么。唯一的心得是冯老师膂力强劲，手指不粗却能量惊人，他落子时迸发巨响，棋桌颤动，雄浑、刚猛的拍击偶尔能够将一枚不走运的黑棋或白棋震碎，乃至渣子激溅，大小残骸七零八落地散布于棋枰之间，好像战场上给炮弹轰成许多截的不幸士兵。"棋形要正，棋风要硬！"冯教头指导小棋手们说。要硬，这我知道；可是要如何硬，要硬到什么地步，我稀里糊涂。而姓王的小家伙大概很懂得要如何硬，以及要硬到什么地步，他那两只长势喜人的丹凤眼朝冯老师源源不绝喷射着狂热和仰慕，眸子里电光倏烁。姓王的小家伙不好惹啊！他素来细腻，厚实，稳健，极其难缠，如今还盘算着变硬。分明是不给活路呀！我宁愿跟席芊芊比划两下子，她比较软，比较便于揉搓……高手对局时，孩子们围坐在两旁观战，同样是日常训练的一环。看别人下棋可好过多了：事不关己，轻松愉快！不妨走走神，发发呆，谁也没法察觉……如果是看姓梁的大美女下棋，那就更加惬意。她实在是一支阆苑仙葩，梳着朴实无华的长辫，身上透着蜂花檀香皂的芬芳，浓密的睫毛盖着一双专注到冷酷无情的圆眼睛。职业棋士人人想跟这位美女套近乎。可是矜傲的梁姐姐从不把他们当一回事。她钟情于一名少年白发的天才，此君的智商据称比爱因斯坦还高，正远在国家队修炼自己罕见的头部形状，七年之后更是斩落李昌镐，拿到一座金灿灿的世界冠军奖杯。李昌镐，镇压一个时代的石佛啊，怎能说斩落便斩落？所以梁大美女不嫁他嫁谁？其余人等，你们不是石佛，你们是土鸡瓦狗，再怎么蹭来蹭去也无济于事啊……简言之，诸位的头部形状远远满足不了梁大美女的需求。这位姐姐志存高远。棋队中唯有姓王的小怪兽实力暴增，居然突破头盖骨的承压极限，也在同一年斩落李昌镐，抢下另一座成色稍逊的世界冠军奖杯。而我当时正昏头涨脑地应付高考。奇妙哇！难以置信、不可思议、欲说还休的际遇！啊，梁大美女已嫁作人妇……

六点钟，训练结束，我顶着近乎烧毁的脑袋，踩着所剩无几的积雪，来到一个别有洞天的旧食堂，继续跟管理员大叔斗智斗勇。他已恭候多时，烦躁不堪，准备将我一举拿下，将所有不听话、耍花招的小鬼一网成擒。这地方像一个拐卖儿童的黑窝点，又像一座四十年前修建的乡村学校，房间逼仄而昏暗，窗子漏风，门框歪歪斜斜。趁管理员大叔不注意，我把餐盘里赤裸横陈的肥猪肉和动物肝脏偷偷塞进桌底的缝隙之中……男人猛地转头！他眯着眼睛，咧嘴奸笑，冲过来把我挤开，趴到桌子底下又抠又挖。观众在屏息静候高潮。哦，他放了个响屁！他脸色难看！他一无所获！哈哈，大笨蛋，肥猪肉和动物肝脏藏在米饭里！老子虚晃一枪，把它们揣进衣兜，这一招屡试不爽……结果整个冬天，我都在发散油腥味，太阳一晒便又馊又臭，因此遭人嫌弃，受尽嘲笑和冷眼，被说成是一只长脚的剩菜桶。那又怎样？凭什么强迫我吃肥猪肉啊？不许浪费食物？他妈的，我又不是你饲养的家禽！管理员大叔向冯教练告状，向上级告状，向有关无关的各科室告状，他疯狂告状，发誓要把我逐出食堂，对吃不饱饭的孩子来说它可能是座香喷喷的天国，对本人来说它百分之百是个油淋淋的地狱。我求之不

49

得啊，宁肯一天三顿去街头小店铺解决问题，混个虚饱。我再也不想当剩菜桶！但是很可惜，管理员大叔四处告状的效果为零，亦即一切照旧，食堂游击战延烧不断，激烈程度日甚一日，毫无缓解的迹象，从开局到收官……不过，在郑州将近九个月时间，我倒也因祸得福，不仅改掉了挑嘴偏食的老毛病，还长高了差不多十五厘米，让父母大吃一惊。"你说陆小风跑哪儿去啦？"有一天，我已回到南方的家乡，在暌违多时的学校大门外听到一个姑娘这样问同伴。她们已升上初三，而我仍要重读初二，所以没去搭腔……

唐克克很快从暴饮暴食的危险赌局中恢复过来，当然，所谓恢复仅仅是表象。无论如何，我那天的表现令他颇为感动……刘青霖扯个谎跑回了老巢旧省城，他几乎落荒而逃，该千刀的娘娘腔！邹骏捷则北上京师，去接受国家棋院的头部形状测试，但眼下他肿大的板栗似的脑袋瓜仍稍欠雕琢，稍差火候。害人终害己啊！他们迟早要清账还债……唐克克毫不吝惜他拼命吃到手的十块钱彩头，全部买了游戏币，分给我一半，我又将其中一半分给冯小蛮。这位鼻水丰沛的少年很珍惜来自唐克克的慷慨馈赠，打算为他庆祝肠道功能康复，去电子游戏厅创造一个血雨腥风的夜晚。在棋界，冯小蛮的爸爸是冯老师，而在电子游戏界，冯小蛮本人方是当之无愧的冯老师，甚至冯大师。游戏厅老板对他又爱又恨……不，终归是爱多于恨：他高超的技艺使我们眼花缭乱，他才华横溢，他鹤立鸡群，他益人神智，他光照四堵！与泰斗级的非凡造诣相比，破点儿财又算得了什么？游戏厅老板苦中作乐……傍晚，冯小蛮如约而至，神色宁静而愉悦，揣着足够掀翻整个电子游戏厅的资本，准备来一场大闹天宫。他，冯先进之子，此刻并不是围棋队的软脚虾，他是游戏玩家传诵多年的一代宗师。他学而时习之，他有朋自远方来，他不耻下问，他海纳百川！他以全部的激情控制方向杆，以全部的人生领悟敲击按键，仿佛跟游戏角色合为一体，鼻涕流到脖子上也不去擦……我至今仍觉得，冯小蛮是我河南之行的真正奇遇。关于这一点，仅凭他神鬼莫测的獠式操作，顶多再加上他眼观六路的蝇式洞察术，便足以让你们信服，让你们认识到自己不过是凡夫俗子、井底之蛙！有时候，老板故意把游戏的难度调至最高，依然挡不住冯小蛮。他脱掉衬衫，拔去隐形的安全阀，化身为一头口眼歪斜、痉挛不已的鸡血狂魔。这个在刀光剑影和电闪雷鸣深处蹁跹起舞的瘦骨仙，他杀人如麻，他全然忘我，他万花丛中过，片叶不沾身。哼！哈！老子照样通关！老子身怀绝学！老子是人类精华！……冯小蛮喜欢自称老子，整天老子长老子短，父母要求他别把老子挂在嘴边，老子老子的成何体统？奈何双亲的告诫收效甚微，他仍旧老子老子说个没完。老子的兄弟！老子的宝贝！老子的老子！老子横扫天下！老子百万军中取上将首级！……然而，我和唐克克发现，冯小蛮即使得意忘形，目空一切，处于眼瞳放大口齿不清的迷狂状态，也从未丧失基本的理智。他虽然在虚拟的世界里道法高强，呼风唤雨，却很少玩对战游戏，兴许是不想跟人结仇。但那天晚上，冯小蛮偏偏碰到一个不识相的大胖子，非要同他争雄争霸。这位老兄确实也够疯的，打游戏时几乎把整台机器拎起来，或者死命地顶撞机器，如野兽交媾一般，而他全身的肥肉更是猛烈晃动，似将爆炸。哦嚯！他输了！他企图爬到机器上屙屎！你他娘的，何至于此啊？为了梦想？为了发泄？为了彻彻底底感受一番生存的奇迹？大胖子臭名远播，早就扬言要与冯小蛮大战三百回合。他汗流浃背的模样着实讨厌，那副鱼死网破的架势着实欠揍，理应制裁……可结果呢，我们跟他不打不成交！这个痴肉团和冯小蛮越是在刺眼的闪光中对垒，越是英雄惜英雄。两人前世准做过兄弟，他们的酸甜苦辣、他们的卓尔不群、他们近乎走火入魔的艺术追求，无不在你死我活的拼斗中强烈共振，在电子游戏厅内长久悲鸣。相见恨晚呐！两人立即化干戈为玉帛，联袂撑起一台大戏，以配合默契的表演博得满堂喝彩。他们抛开成见，放下包袱，携手探索更精微、更玄妙的游戏之境，令围观的小伙伴如痴如醉，让老板又哭又笑……

当年的盛况只属于我们这一代。事实上，早在电子游戏厅一夜之间被网吧替换以前，它们一直是少年人的圣地，是青春城邦的雄伟神殿和繁荣广场。今天的继任者与之相较，无论内容、形式、氛围，乃至社交礼仪，均有极大差别。上世纪八十年代末九十年代初的电子游戏厅，集娱乐、健身、学习、竞赛、闲扯、泡妞、谈判、交易以及打架斗殴于一体。除了老板，我们统统站着而不是坐着开展上述活动，这是电子游戏厅与网吧最大的不同，也是最本质的不同。从站改为坐，好比从狩猎改为农耕，文明形态随之剧变。所以说那是一个电子游戏的洪荒时期，是电子游戏思想交流史的婴儿阶段。那个年代稚气未脱，痔疮还没有大面积爆发，我们也还没有太过深入电子游戏的黑暗森林，不像如今，年轻人在其间居住、谋生、养育子女、命归黄泉。那个年代的电子游戏尚不注重哲学思考，我们是这片天地的上古先民，蒙昧而单纯，逍遥度过一个又一个打打闹闹的星期三下午。那个年代的孩子成群结队，站在尘土飞扬的街道旁边，死命搓弄一台台似要散架又始终屹立不倒的大家伙。正因为如此，我们将这些整合了投币器、显示屏、操纵板和诸多电子元件的木头箱子称为街机。哦，街机，你积攒了多少学生哥的热乎劲儿呀！你是我们丛林法则的发源地，在你欢快的陪伴下，我们精神饱满地实践着弱肉强食的大自然黄金律。我们被偷、遭抢、挨揍，我们痴心不改，我们卷土重来，不为任何事情，只为尝上一口街机的醉人美酒……

好几个晚上，我溜出宿舍楼，与冯小蛮结伴去找大胖子。他家位于一个凌乱凋败的社区。我们按图索骥，绕过低矮密集的屋舍和杂物堆，爬上老旧昏黑的楼梯，直达顶层，然后在不停闪烁的灯泡底下拍打墙头的电铃。这个随时会分崩离析的装置没引发任何动静。我和冯小蛮顶住了各种不祥预感，杵在即将闹鬼的廊道里驱赶飞蚊，久久等候。大门打开小半，我们看到一个满头银发的瞎眼老太婆，佝偻着身子，冲着夜访者阴笑。冯小蛮吓得撒腿就跑。这时屋内传出大胖子的喊声："快进来！"原来那是少年人的奶奶。我们闪进他狭小的卧室，迅速掩好房门，倒在架子床上呼呼直喘，如释重负。大胖子继续打游戏。他背对着我和冯小蛮，盘腿而坐，好像一坨牛屎，披着人皮的巨大牛屎……喔唷，十六位的世嘉五代机，上档次啊，霸气啊！尽管它如今已沦为老古董，已几近绝迹，当初却让七大洲四大洋的孩子迷恋至深，既是我们无师自通的公用语言，也是我们相互交流所共享的集体经验，更是我们屡遭诟病、饱受非议的统一标签。我们的情感与思想纷纷乞灵于这批经典的黑色魔盒，这份瑰宝，以期升华嬗变，达到天涯若比邻的大同境界，到那时一个群星璀璨的人类新纪元必将来临。而大胖子堪称我们这一代的先知，超凡入圣！除了诅咒毫无益处的学校关门大吉，除了千百遍预言无穷无尽的星期天，他在尘世间一无所好。冯小蛮呢，不消说，是个半神，破坏力相当于八级地震！只可惜手握权力的大人有眼无珠，把如此卓异的天才当成了害群之马，把他们的奇思妙想当成了狗尿鸡粪，先横加批判，再打入冷宫。可憎啊！可耻啊！可悲啊！贤者蒙尘，愚人逞威，我心中凄楚。然而大胖子隐藏在暗处等待历史的车轮。他已听见世嘉五代机吹响的进攻号角。自从觉悟之后，这个体重超过两百斤的少年每天吃四顿饭，睡十个钟头，时刻保持充沛的体力，好迎接无从逆料、难以抵挡的命运泥石流，它可能转瞬即至，也可能姗姗来迟……大胖子将自己的房间视为躲避凡俗纷扰的洞窟，里面塞满了游戏卡、游戏机及其数据线和变压器。型号各异、规格千差万别的设备如潮水般涌向床底，涌进衣柜，涌出阳台……我这才注意到，电视机周围，七彩斑斓的漫画书从墙脚一直往上摞，直逼天花板。冯小蛮想从底部抽出一两册瞧瞧，胖子急忙冲过去，不顾一切地扑向书摞，防止他造成雪崩式的灾难，否则赶来营救的消防员将从纸山下挖出三具尸体，三具还没长阴毛的可怜尸体。这样的死法无疑很蹊跷，很发人深省……我们开始载入一款风格拙朴而又让你欲罢不能的角色扮演游戏。哦，世嘉株式会社的最新力作！哦，世嘉，好一根中流砥柱！电玩业的金蔷薇！各国少年的亲爸爸！……大胖子最喜欢身材娇小的卡通少女……来吧，没关系，别害羞！显然，善解人意的游戏开发商十分重视大胖子这类潜伏的变态，处心积虑地满足他们阴暗的欲求。我宁愿选择丰腴健美的少妇。冯小蛮则对肌肉男有着无可理喻的执念，他本人却瘦得皮包骨，简直是一具蒙着一层白帆布的骷髅架子。好了，进入游戏……异乎寻常的沉默……完美的旋律在我们耳旁响彻，光怪陆离的场景扑面而来……哈利路亚，无声的赞颂和感恩在空气中萦绕，回环着飘向电子游戏天堂里发狂摆弄操纵杆的老花眼上帝……哦，风云激荡，乾坤颠倒！哦，黑暗笼罩！哦，曙光乍现！我们打穿十八层地狱，我们瓦解恐怖的星际政权，我们扫尽妖氛，抱得美人归！畅快啊！爽啊！我们目不转睛，我们全神贯注，把整个世界抛到了九霄云外……

"阳少丸，"大胖子的祖母从门外探进一颗扁头，"该睡觉啦！"

没人搭理她。老太太摸回客厅，倒在沙发上，好似伏牛山深处一条没长鳞片的大花鱼。时间已经消失，无踪无影，完全不存在……但是，当它重新接入我们的意识回路，重新在我们脑袋里叮哐叮哐敲个不停，像一座催命的破钟，吵得你毛发尽竖……冯小蛮一蹦三尺高！他扯着嗓子连声惨呼，惊醒了外面阳少丸的奶奶，瞎眼老太婆原先在打瞌睡，传来断断续续的鼾响。她大概以为发生了什么灾祸，滚到地板上胡喊乱叫。大胖子一边咒骂一边恶狠狠冲出房门。不好，阳少丸要揍他奶奶！禽兽不如啊！丧尽天良的人伦惨剧！快住手！悬崖勒马呀！我们不敢再看。谁知一转眼，大胖子又笑嘻嘻地搂抱老太太，抚摸老太太，哄她回屋休息。我和冯小蛮顾不上欣赏祖孙俩相亲相爱的好戏，立即飞奔下楼，跑过狗吠阵阵的偏街陋巷，跑过笔直的经路纬路，跑过大风里摇曳不定的树枝组成的幽暗拱顶。光影如在湖水中滉漾，根本搞不清眼下是几点钟。省体委家属区的大门外，我们看见一个身影，头上长着一根独角……越来越近，独角似乎在召唤冯小蛮，我发觉少年的表情已僵住，眼睛失去了正常人的色泽……哎呀，不对！那东西不是一根独角，而是一绺植根于耳朵上方的长发，冯教练平日用来遮盖他光亮的秃顶，此刻它被风吹开，四十五度角向上掀动，犹如一道凝固的黑色闪电，象征着怒火，预示着惩罚！……我们的下场可想而知，毋庸赘述。冯小蛮从此再也不被允许晚上出门，因为他岂止是没有按时回家，更让父亲等了大半宿，反复上楼撒了八泡尿，还差点儿去报警。本人同样遭到禁足。冯教练让一名满脸奸相的职业四段负责管束我。除了玩玩四国军棋，夜里只好写信看书。顺便说一句，那位长着老鼠须、目放寒光的职业四段表面上很凶恶，其实非常善良、温厚、宽容……下四国军棋时，他奚落对手的方式千篇一律："我让你赢！赢啊？迎风流泪吧！哇哈哈哈……"这家伙算什么职业四段啊，分明是个施虐狂，当然，是个非常善良、温厚、宽容的施虐狂。此人姓甚名谁，有过什么事迹，我统统不记得了，但只要一想到他，就不禁想到迎风流泪。

本人的河南饥饿史发生于围棋队生命历程的晚期。当时阿阮、苗裕、王媛媛和黑美人尹秋琳已陆续回家，只剩下极少数不知死活的呆瓜依然在坚持训练。那阵子，本省各部门的主事者仍未胆寒，仍未幻灭，以为我们终究能找到一两个领域，跟发达的兄弟省份再比试比试，较量较量，可现实是发达的兄弟省份太猛，如狼似虎，不给别人活路……去郑州之前，黄教练隔三岔五爬上我床铺的行径终于在领队盛大伦的阻挠下宣告结束，好像什么都不曾发生，没有丑闻，没有损伤，我父亲也以息事宁人的觉悟，高高兴兴甩掉了可厌的思想包袱……然而我不打算让父母好过，每每在激烈争吵时旧事重提，我厉声质问，我抠掉伤疤，抠出血，毫不留情地刺痛他们，让他们语塞、瘫软、内疚，让他们产生亏欠感。本人会好好利用这份亏欠感，利用一辈子，直到无可利用……在河南，我由于饮食不好外加水土不服，仲夏时分备受黑疸症困扰，不仅手脚日夜酸麻，四肢关节发紫，眼白也发青发蓝，甚至头肿腹胀，脊柱深度歪斜。医生诊断说，病因是肾上腺皮质坏死，再不治疗，恐怕小命难保。这些个穿白大褂的医务工作者一向危言耸听，并且丝毫未考虑到，本人正经受着剧烈而痛苦的身体发育……久旱无雨的季节里，我胯下的小黄瓜第一次真正觉醒，每晚变成一挺幸福的马克沁重机枪，必须浇水使之降温，以免它烧毁。我彻夜喷射！但本人的性幻想对象既不是隔壁来自洛阳的梁大美女，也不是远在家乡身世凄惨的漂亮小妞尹秋琳。长相俏丽的异性令我备感压力。我不喜欢压力，我喜欢无拘无束。我偶尔想想韦鲜花，更多时候什么人都不想，大脑一片空白……不，没必要扯谎隐瞒：我日夜操控自己的迷你加农炮之际，眼前满是丰乳肥臀的成熟妇女，比如吴教练的风骚太太，比如体校大门外开生榨米粉店的老板娘，比如我不断转学的孤独岁月里遇到的模样还算顺眼的好几位女教师……掌握这套源源不绝地催生快感的技术以前，我去过尹秋琳的宿舍许多次，时过境迁，再想造访尹秋琳的宿舍已无机可乘，佳人已得良人伴。那几年，她与最终跳河自尽的鹰钩鼻姑娘柏芸、整天爱传闲话且脑子烂掉的王媛媛等人同住在楼道末端，房间挂着鲜艳的帘子，危悬于八爪鱼形建筑的僻静一翼。为防止偷窥，她们用一张张壁纸将窗户挡得严严实实，以橙色星星、米色花朵，或蓝色卡通小猴子遮掩她们鸡鸣狗盗的闺房活动。芳香扑鼻的微型女儿国之外，是少年郎肆无忌惮的腥臭世界，污水纵横，紊乱而丑陋。有一回，正值唐克克修理苗裕的高潮时期，我从尹秋琳的宿舍走出来，好像从幽深的洞穴返回人间，感到天旋地转，阳光刺眼，不期然跟白胖如猪的王媛媛迎面相撞。"陆小凤，"梦想留长发的圆脸女孩顶着难看的锅盖头，揪住我耳朵问道，"你们是不是在欺负苗裕？"我拍开王媛媛的胳膊，否认指控，警告她管好自己的舌头。

"当心踩到狗屎，"我把两根手指并拢成执棋子状，不停戳她胳膊上颤悠悠的肥肉，感觉怪好玩的，语调则近乎威胁，"迟早轮到你倒大霉！"

王媛媛一副得逞的表情，使我恍悟，自己说漏嘴了。她因为被人戳了肥肉而兴奋得面颊发红，又让我恶心。"呸！"我不敢直接啐她胖乎乎的圆脸，怕这烦人的姑娘以为我喜欢她，只好扭头朝走廊外广阔明亮的春天奋力吐了口唾沫，发觉下午太阳的恢弘波浪正在使城市摇荡不已。王媛媛是个蠢货，苗裕也是个蠢货，他们必然结成了蠢货同盟，他们生来就惺惺相惜，注定要走上这条可耻的联合之路……或许我应该告诉唐克克，得赶紧收手。

修理苗裕的主谋：唐克克。执行者：唐克克，陆小风，汪立国。手段包括：欺骗，引诱，教唆，恐吓。主战场：打扑克，打纸牌麻将。我们轮番上阵，给苗裕洗脑。我们出老千。我们无数次让他输个精光，输到脱裤子坐箩筐，完全输掉自己的灵魂和人格。实际上，苗裕的观察力极弱，他从小患有严重的复视，看东西两个影儿，据说是因为眼肌麻痹，导致眼轴偏斜。离开棋队后，苗裕也没上几天学，结婚前还当了一阵子驾校的教员兼不成功的越野赛车手。可怕啊，目光如豆的小苗裕居然手握方向盘！他后来有没有治好眼肌麻痹的顽症？副驾驶座上情意绵绵的新娘子是否知道他眼轴偏斜？场面不堪设想……那些年，最让本人愧疚的劣迹，倒不是追随唐克克盘剥并折磨苗裕，践踏小家伙纯洁的友谊，而是我们鬼话连篇，竟让他一直蒙在鼓里，始终没意识到自己受了骗，挨了整。这傻小子还真以为是运气使然！他苦练牌技，妄图翻本，结果越陷越深。比起阿阮之流，苗裕更懂得愿赌服输的精髓，向来老老实实地遵守为他量身定制的不平等条约。钻桌底，洗厕所，弹小鸡鸡！交钱，交饭票，继续钻桌底！今晚先钻个五百次！拱猪的失败者，这是棋界的优良传统啊，是棋手的荣誉！自己计数吧，我们信任你！锻炼锻炼屁股的筋肉！好哇，英雄出少年！坚持呀，臀大肌，臀中肌，臀小肌！……等到教练和领队查房完毕，关灯关门，有人缩进被窝里开着手电筒读淫书，有人爬窗溜到大街上玩电子游戏。苗裕独自在黑暗中来来回回钻桌底，动作熟练，绝不作弊偷懒……我可没闲心同情他。我巴望黄材晋放我一马，去折腾苗裕，去扒这个小蠢瓜的裤子，或者其他什么人的裤子，外头男男女女的裤子，反正别再来扒我已经扒过许多次的裤子。体校正门旁边的杂货店老板娘，谁不晓得她天天盼着有人来扒她又短又薄又花的裤子？她甚至根本不穿裤子，也不穿裙子，只穿一件大汗衫，几乎透明，惹得一帮老不修轮番上前纠缠……好啊，黄教练，臭烘烘的烂光棍，你快活日子没几天了！来而不往非礼也！我在等待时机，等男人踏中香蕉皮，再跑过去补上两刀不迟……眼下，先得稳住苗裕，别让他告发我们，如今连他警长父亲调教的狼青犬都已经嗅到，唐克克正在坑害它傻不楞登的小主人。前几日苗裕的爸爸来棋队，那条大狗留在吉普车上，朝我们狂吠不止，听者无不心惊肉跳，预感祸事临头。其实，相比这只畜生，苗裕的爸爸更让人害怕。他上半身的形状接近于一个大葫芦，脖子又粗又短，将一颗硬邦邦的好头牢不可破地固定在躯干上，那当真是一颗铁头啊，或者是一颗虎头狮头，令犯罪分子不寒而栗……

盛夏时节，火伞当空，苗警官领着自己的儿子及其小队友们去露天游泳馆玩耍。我太过亢奋，直接冲到水池边，纵身一跃，溅起一通浪花，咕噜咕噜往下沉。事后我向苗警官解释，我以为水性是与生俱来的，游泳像屙屎一样不必学，天然就会。男人哈哈大笑，给我绑上两片塑料泡沫，转而去点拨自己的宝贝儿子。不得不说，苗家父子对待游泳极为严肃，我等望尘莫及。这是一门必不可少的保命术！岂止如此，它还锤炼体魄，强壮心脏，烧光多余的脂肪，刺激食欲，增大肺活量，提高免疫力，总之促使你们向称霸七大洋的鲸类看齐。苗裕爸爸穿了一条挺长挺神气的弹力游泳裤。他葫芦瓢状的肚皮上布满了奇异花纹，酷似海裙菜。他戴着一副价格不菲的浅色太阳镜，绷着脸指导儿子划水、踢水、换气。男人向周围散发阵阵汗臭。他陶醉于自己的汗臭，默默品味这雄性的风范，不可自拔。小苗裕则紧闭双目，五官拧作一团，在池子里使出吃奶的劲头拼死扑腾。他发狠练习！他老鳖一般四肢并用！他想象自己身处惊涛骇浪之中，必须全力以赴，才可以免于溺亡，保住性命。加油啊，刑警之子！向逆流而上的大虹鳟致敬！来吧，击水三千！管他妈的天打五雷轰！苗裕已迹近癫狂，他上气不接下气，垂死挣扎，嘴巴鼻子直冒泡。忍耐！坚持！能否超越极限，全看下边这几秒钟！苗警长脸上浮现欣喜的微笑，因为小家伙整个儿豁出去了。虎父无犬子啊！他们竟然将一场好端端的休闲娱乐活动，转变为摧残神经的斯巴达式训练，让我瞠目结舌，抱着游泳圈惊愕无措。水面上金光闪动，苗裕还在硬撑，动作完全走样了，像一只醉鸭。但小家伙的脑袋尚未短路，深知警察父亲是指望不上的，他仍然得靠自己。首先，别沉下去！呼吸！好好利用神秘的浮力和惯性，想办法靠边！这个时候一股乱流涌了过来，苗裕摇摇晃晃，险些呛水。接着是一阵铺天盖地的大浪，几乎令他窒息。有个胖子跳进游泳池！全世界的恶意凝聚成一个个跳水的死胖子，在苗裕的身旁四处

67

开花。全世界都跟他敌对，化作无形之手推波助澜，把他往水里按，大大小小的旋涡不断消耗他，将他扯来扯去，让他出乖露丑……苗裕这下子彻底透支了，他终于累垮了，百分之百迈不过这道坎了，他又是扑又是划，毫无章法可言，只想抓住一根救命稻草，避免在父亲面前惨败。狼狈啊！他睁不开眼睛，使劲伸着脖子，咧着嘴，打着嗝，蹬着腿，八成还漏着尿，筋疲力尽，肩骨外戳。他孤注一掷向深水区游去，要躲开从天而降的胖子，远离不停捣鬼的人造旋涡和湍流，以及持续拍击他整个脸蛋的波浪，它们的消毒水气味不断冲入他已经失去知觉的鼻孔。苗裕这番举动，究竟是破釜沉舟，还是自取灭亡？下一刻，我们看到他大头朝下，屁股朝天，两脚乱抖。他抽筋了，惨状赛过挨电的癞蛤蟆！再不把小家伙捞上来，他只能葬身水底啊。于是苗警官一声长啸，骂了个脏字，下水拽住儿子，抱他上岸……

从露天游泳馆回到几百米之外的围棋队宿舍，我再也没有帮着唐克克修理小苗裕。他在水中不屈不挠、狗急跳墙的英勇表现，足可洗刷叛徒的嫌疑。苗裕是条汉子啊！要跟他做朋友，做真朋友。从前我假仁假义，诓他钱财，为他挖坑，想把自己的苦头丢给他吃。这么干太卑劣！看来黄材晋骂我卑劣，并非全无道理。不能因人废言嘛。没错，我是心胸狭窄，思想尤其阴暗，成天盘算不齿于同类的坏点子馊主意，令人发指……等一等，事实果真如他所说？到底是谁不辨香臭，不分青红皂白？谁要杀父娶母？难道我不满十岁便吃错了药，便被毛驴踢坏了脑袋？……哎哟哟，此时此刻，毛驴竟然还在踢我该死的大脑袋，我不断膨胀的大脑袋！又一记无影脚，正中风府穴！头疼啊！……我耳边兀然响起吴教练威严而不失魅力的歌声：

　　毛驴，我就喜欢你，深深地爱上你……

　　原来，苗裕正是那头毛驴！我终于明白为什么吴照聪喜欢一遍遍哼唱这支曲子。他情不自禁！苗裕无异于一棵摇钱树。吴教练在小家伙身上淘金。而苗警长为了儿子，从不吝惜钞票……

赛前集训的日子里，我不用去南园小学上课，阿阮、苗裕两人则照去不误。他们形伴影随。他们的友谊建立在全然平等的基础之上。我始料未及，甚感妒忌。但本人必须跟定唐克克，他是头牌选手，是我紧追慢赶的目标，而他认为平等一钱不值，类似廉价糖果，只能骗骗不开窍的小屁孩。因此我在南园小学读书的时候，下课铃一响便冲出教室，冲下楼梯，冲向校门，把阮阮和苗裕甩得老远。我飞奔于坑陷密布、井盖松动的归途之际，他们还在慢吞吞收拾书包，捣腾课本、试卷、废纸、练习册，以及贴满了幼稚公仔画的铅笔盒……

　　"那个智障儿童，"某天下午我对吴教练的可爱小毛驴大说特说阿阮的坏话，毒化两人的友情，"他不只有越南佬和黑人的血统，还是个日本小鬼头！"

证据吗？当天早上，阿阮露出马脚，下意识地朝我来了一记东洋式鞠躬，动作格外标准。这家伙讨人嫌啊，阴险到骨子里！为什么不回你福冈县老家？啊？啊？四海之内皆兄弟也！去吧，莫愁前路无知己，天下谁人不识君！……没想到，我拙劣的诬蔑让苗裕非常好奇，原来他早就发觉阿阮脸相特异，说不定是个爪哇族的小姑娘！我大受鼓舞，再接再厉，继续胡扯乱道。"他蹲坑时，屁股像猪一样叫！这呆货的脏屁股简直在放烟火！……"阿阮，你何苦来哉？快，用家乡话喊一句天马流星拳。他竟遵命照办！果然听不懂。闭嘴，蠢蛋！没人当你是哑巴！不能原谅！可恶透顶！他又喊了一句钻石星辰拳，比前一次更加大声，更加怪诞。阿阮，够嚣张呀，你小子算老几？还敢嬉皮笑脸！我劈手将他撂倒，决定狠狠践踏他。为什么不去拜藤泽秀行为师，不去拜武宫正树为师，不去拜赵治勋为师，啊？你以为剃了头就是一休哥？厚颜无耻之徒！我怒不可遏，我语无伦次，我悲从中来，我手指僵冷。衰仔，你也配！我正准备狠狠践踏阿阮，拿这小笨瓜泄愤，突然间，他倒三角形的鸡胸深处涌出一阵神经质的狂吼！伊姆拉撒，如假包换的大爆炸！好一通猛喊！好一只忍者神龟！般若波罗蜜，百闻不如一见！阿阮兽性大发，甩掉了自己背上的骑手，昂首悲鸣，兀自绝尘而去！……那个夜晚的飞蚁非同寻常，极多且极猛。它们不顾一切，劈头盖脸地冲向整座城市的男女老幼，冲向千千万万盏电灯、油灯、煤气灯，冲向形形色色的反光水面，冲向飘浮的磷火，冲向自我毁灭，尸横遍野，装了一箩筐又一箩筐，令人忧伤垂泪……阿阮曾说，迟早要前往马鲁古群岛游历一番。他言出必行！到时候了，四海为家的浪了！阮璘师弟，好伙计，同类相呼莫相顾啊，祝你一路顺风！……

苗裕告诉我，确确实实，阿阮要离开围棋队，不过离开之前，他还得办一件事。至于具体内容，苗裕所知甚少，可能跟仇怨有关，也可能跟欠债有关。我满腹狐疑，忍不住东猜西想，越来越忐忑不安：整整三天，无论是在棋队，在田径场，在体校周围的犄角旮旯还是在南园小学，统统不见阿阮的人影。这小子居然动真格的！我大半夜跑到漆黑一片的训练室里，想看看阿阮是不是蹲在桌子底下，抱着一张木质棋盘，正要一点一点抠下来吃掉。我去澡堂找他，去手球馆找他，去技巧队的宿舍找他。阿阮十分适合当宠物。我担心他变成了老鼠，在阴沟里乱窜。那家伙不会跟哪个印尼华侨私奔吧？莫非他已经遁入华侨农场的莽莽林区？开什么玩笑。阿阮并不是爪哇族小姑娘呀！抑或他是？我好几日魂不守舍，训练中差点儿输给小苗裕。长着一张麻团脸的汪立国也趁火打劫，公然发下战书，要与我对垒十番棋，升降赛制。看来麻团脸斗志满满，不死不休啊。这一刻，我真想跟阿阮互换身份。我思念他。我一定诚心诚意给他道歉，冲他点头哈腰，屈膝下跪，请求他宽恕。阿阮，好朋友，好兄弟，眼下你身在何处？快出来呀，别耍性子，别倚老卖老！我陆小风向你认错，向你忏悔！我向月亮偷偷许愿！……为了找到阿阮，我像风一样跑过许多奇奇怪怪的场所，我爬树，我钻洞，我飞檐走壁，我朝一扇扇窗子里窥望，目光如炬，不放过任何蛛丝马迹。我仿佛是一名蹩脚的无线电测向选手，行迹诡异，忽左忽右，只差穿上他们让人脸红的短裤，那种短裤好似一面旌旗在你臀间飘荡……

我心中的惶恐升级了。我觉得自己满头包。阿阮父母迟迟不来收走儿子的铺盖，领队盛大伦却没吭声。我注意到他那两片发暗的嘴唇紧紧闭拢，中间一道白线，有如锡焊。然而，更加令人费解的状况仍不断发生。首先是主教练黄材晋也没再露面，副主教练吴照骢暂代其职，紧接着是盛领队走进宿舍楼，神情严峻地摊开记事簿，手握英雄牌钢笔，与围棋队的成员谈话。我们三个三个一组，并排坐在铁面无私的男人跟前，感到事态非同一般，回答问题无不小心翼翼，吞吞吐吐。我猜之所以不采取一对一的方式，大约是怕孩子们胡言乱语，又没个质证。因此，关于黄教练的秘密，我打算以后再找机会说。盛领队低头记录时，没人敢喘一口大气，银亮的笔尖在本子上哼哼作响，隐隐揭示那些横竖撇捺的坚硬程度。他偶尔停顿，好让房间的宁寂渗入刚写完的句子之中，给它们些许安抚，让它们尽快冷却。这一通力透纸背的文字足以表明，执笔者本人有多威猛。或许，今天他思维稍欠缜密，情绪稍含火躁，鼻子下面的胡须稍嫌凌乱，但只要一想到自己在为国家的利益而披荆斩棘，在为振兴本省的体育事业而鞠躬尽瘁，铲除疑难杂症，男人也就平静下来，并且渐渐品尝到忠于职守、克己奉公的香甜滋味。

"黄教练有没有打过阮璘？"

"算是有吧。"我看苗裕和汪立国不吱声，硬着头皮答道。

"到底有没有？"盛领队放下笔，以马克西姆·高尔基的灼热眼神来回扫视我们三个。"汪立国，"他不愧为抽乌龟的老手，能够根据对手的表情变化而随机应变，"你来讲讲……"

麻团脸汪立国说话结结巴巴。他自己挨过多少下板子，再长一个脑袋都数不过来。可是跟队友们一样，这家伙也拿不准黄教练施加在我等身上的种种惩罚该如何归类。众所周知，若不用有机玻璃尺抽打，或者抽打力度不够，尺子并未折断成两截，那么，要我们知错能改甚至乖乖听话，根本是天方夜谭。汪立国很清楚自己野性难驯。他是我们当中第一个偷着抽烟的孩子；他买来高倍望远镜，窥望卫校的女学生洗澡；他不穿内裤；他喜欢抓人卵泡……有一回，汪立国自恃块头大，去抓苗裕的卵泡，刑警之子反手勒住他长满痱疮的颈脖。二人互不退让，扬言绝不首先放手。他们倒在地上，手缠脚绕，活像连体婴，又像两只紧紧抱对的紫色牛蛙，因强烈的快感而麻木，而僵硬，而抽搐。我们这些旁观者围成一圈，或是由于震惊，或是出于嫌恶，或是碍于看热闹不嫌事大的顽劣秉性，总之没一个上前把苗裕和汪立国掰开。再说除了我陆小风的七爷爷，傲视乡野、横行垄间的捉田鸡神人陆宪彰，谁还有本事将他们钳住，抖松，扯散？只好等教练来插手汪苗双傻的死局。黄材晋不出面处置，这两个蠢材没准儿会一直撑到气绝身亡……所以说，岂可颠倒黑白，把装满自己粪便的屎盆子，扣在主教练阁下的脑袋上？我们于心何忍啊！断人财路，如杀人父母啊！……

不过，既然盛领队发问，汪立国也唯有支支吾吾应付几句。

他说黄教练虽很严厉，但极其公正，好比天上的星座，从很高很高的地方倒吊下来。他，整天就知道胡混的麻团脸，住在大多数市民嗤之以鼻的南城水街，爹娘又穷又笨，多亏黄教练发慈悲，招他进入棋队，指导他，养大他，鞭策他，培养他成材，否则他有什么前途有什么希望可言？恩同再造哇！汪立国哽咽了。他喜欢体校，拥护黄教练，他要勤学苦练，超过陆小风，超过唐克克，下次比赛一马当先下全省少年组冠军，向职业初段发起冲击，他志在必得……

终于，盛大伦合上记事簿，起身告辞。这位南人北相的优秀党员在我们宿舍留下了一股樟脑丸味儿，竹席上他温暖的屁股印久久不见消散。几天后，黄材晋回到棋队，躲入自己的房间，我几乎来不及沮丧，又立即被他可惊可骇的惨相刺激得兴奋难当。精彩啊！黄教练眼眶乌黑，拄着根拐杖，身上青一块紫一块，伤口刚结痂，明显是挨了顿暴揍。不知有没有打出屎来。传言很快便获得权威证实：阿阮离队前夕，找人好好整治了黄材晋。那伙街痞拿酒瓶子敲他，还拿棍子抽他胯下的老屌，把它抽成一根面条。黄教练，黄老师，噢哇，你从苍穹之间倒吊下来！你是五光十色的臭屁眼星座，在秃头上缝针，缝个王八图案！你好歹爬到了医院急诊室，没直接抬进停尸房，算你命格够硬！……原来如此！阿阮，累受欺凌的马铃薯头阿阮，哦，你是男子汉的七色花，是我陆小风的复仇天使！不，你不是马铃薯头的小笨蛋，你是无头的刑天，你手执一柄巨斧，砍瓜切菜！我有眼不识泰山啊，我惭愧无地啊！这小子本该揍我才对。难道我不欠揍？但他竟没有揍我，而去揍了黄材晋……南无阿弥陀佛，阮璘是一位天使！理应给你立一块神主牌。朗朗乾坤啊！又一次，我体验到轮回在世间转动，仿如一个大碾子……

阿阮留下的床位并没有空置太久，他在我意念深处激发的瞬间明悟，很快也再度蒙上灰影。接替者姓杨名小扬，来自城北的新建住宅区，这孩子的主要特点是漂亮，次要特点还是漂亮。他那么漂亮，让我相形见绌。无论如何，本人挺高兴有这样一位师弟，我拍拍他肩膀，管他叫杨小贱。这家伙不单长得眉清目秀，连脾气都像个娘儿们。他比我更不适合学围棋，他很难招架尹秋琳犀利的攻杀，只配跟王媛媛这等蠢猪比试。我暗暗期盼，杨小贱可以当一回替死鬼，拖住黄材晋，因为阿阮走后，这个大龄青年不等伤势痊愈，又跑来脱我裤子。哼，他从未吸取教训，指望他自动收手是我一厢情愿！为何沉默多时，始终没去告发他？或许是羞于启齿，或许是另有原因，某些幽晦难明、微不足道的原因，比方说我屈服于小恩小惠的诱惑，比方说斯德哥尔摩效应，再比方说本人天生冷漠，从来就没心没肺的。我父亲了解实情，可他似乎也只会反反复复敷衍自己的小儿子："你笨啊，躲远点儿啊，别让他亲你啊……"我父亲是个屠头，早在多年以前的文攻武斗时代就吓破了胆，此事人尽皆知。他堪比一座神像，全凭一张活见鬼的喝了些墨水和苦酒的嘴巴叽哩呱啦，没个卵用。然而老头子坚称，当初是他去找盛领队反映情况，才最终解决问题的。哦，反映情况？解决问题？真他娘好笑啊！……我为什么留在围棋队迟迟不走？天晓得！直到今日，我绞尽脑汁，依然想不出合理的解释。也许小孩子无论再怎么精明、狡猾、奸诈，归根结底还是些大傻屄吧。此乃唯一合理的解释。

终于，本人不得不正面强攻记忆这根硬骨头最难啃的部位。

初识黄材晋的场景已模糊不清……六岁时，我端坐在一幢无比高大、敞亮、散发着铁腥味的体育馆内噼噼啪啪下棋，冷风从四面八方灌入空旷的场地，将匀整分布的桌案逐一包围，绕着棋手们打旋。有个裁判员模样的瘦子站在我身旁，频频颔首，夸我"落子如飞"，这位仁兄正是黄材晋……他稀奇古怪的赞许把我坑惨了，他鬼画符似的书法也随即堂而皇之闯进我家，煞有介事地铺展于墙头……此后，我们经常在清乐棋社碰面，那是一长串屋舍彼此连接、交叉所形成的怪异空间，在六岁的小孩子看来近乎无限，反正我从未走遍它七弯八拐的廊道，也从未数清楚它烟笼雾罩的房梁下究竟摆了多少张三合板两用棋盘。清乐棋社，代表着我本该憎恶乃至恐惧的陌生世界，它太过复杂，不怀好意，充满成年人的欺诈和绞杀。但是，唐克克的力量和他天赐的明快节奏，舒缓了我刻意掩饰的怯惧。这家伙抿着他那张遐迩闻名的阔嘴，整日在清乐棋社鏖战，盘盘带有彩头。唐克克的气势与日俱增，引来各方高手和达官贵人关注。我逐渐认识到，在这片纵横十九路的天地里，反倒是小孩子更容易扬威逞志：只要不断学习，不断磨炼，击败大人也绝非难事。棋场如沙场啊！开局无父子，对弈无兄弟！可以在棋盘上整垮他们，折辱他们，任意暴打他们，捶到鼻青脸肿，岂不快哉！而集体的新鲜气息越发使我着迷。甚至没等进入围棋队，只不过参加了两三周集训外加一次在本省东北角举行的比赛，本人已脱胎换骨。那个眼泪汪汪到处找娘的可怜虫不见了，换来一个目光灼灼的小无赖，日夜跟新老朋友打牌。拱猪！梭哈！升级！七鬼五二三！……父亲惊讶地发现我不再想待在他们身边，天天乱跑撒野还能挣津贴，于是顿觉轻快。他由衷感谢上苍的恩典，并且神不知鬼不觉地缩回了自己无形无相的龟壳之中……

黄材晋领着我们到处玩。去冷清的人民公园坐碰碰车，去喧闹的周末大排档吃炒粉，去他朋友家赏月，吃螃蟹吃到吐，边吐边弹琴唱歌……我们像江湖戏子一样在城市中流窜，我们卖艺为生，我们互相下注……围棋队成立前，黄材晋与唐克克的父亲同在商标印刷厂上班。他有过一个女朋友，复姓欧阳，瘪嘴，挂面似的短发，身体肥胖，鼻子非常灵敏，手指非常好看。黄材晋不懂欣赏她耐人寻味的美感，当上主教练第一天就把她给踹了。这姑娘有嚼头啊，性子够辣，如同一颗处于保质期边缘的牛轧糖。黄材晋得志便猖狂，丝毫不顾念女友数百次留他过夜的恩情和欢爱！欧阳姑娘是一名读书破万卷的诗坛新秀，是一位左手横握球拍的乒坛老将，她笑声爽朗，她能写能画，她弹烟灰的姿势优雅至极……姑娘倒也来过围棋队几次，但一直没跟前男友复合……黄材晋狗眼看人低，有时候拳脚相向，有时候用头撞墙，有时候抠挖女友的肋骨。他们哭哭啼啼，嘻嘻哈哈，活似两个疯子，实在是令人腻烦。某天下午，宿舍楼附近传来频密的篮球击地声，把我从睡梦中吵醒。初夏的热风吹开窗帘，涌入房间，原本沉眠于昏暗角落的柜子忽然发亮，四周罩着一层朦朦胧胧的水晕。我使劲揉眼搓眉，冲黄教练乱嚷，他抬手便扇过来一耳光。不知为什么，男人这一记回魂掌立即让我领悟到，欧阳姑娘，那个总是穿着一件超大号白衬衫的文静女流氓，永远不可能在我生活中出现了……

黄材晋每天起床刷牙，必定大声发呕，呕出痰和血，呕出没法消化的隔夜秽物、众多噩梦的残渣，以及他三十几年积攒下来的恶浊怨气。早晨八点钟，我们要么去南园小学上课，要么去体校的文化班上课，黄教练轻轻松松安排自己的日程表。中午，如果刚发完工资，手头宽裕，他会请我们下馆子，如果赶上月尾的拮据时期，他就随便找个小孩帮忙在食堂打饭。下午，他拍脑袋决定训练内容：要么打谱要么对战。我们也经常替他出主意，好让他昏昏沉沉的权力在小棋手身上发一阵威，留些痕迹……我很不争气，老想偷个懒。我把黄材晋的"阿诗玛"（有钱时抽）或"软红梅"（没钱时抽）藏到床底下，静待他派我去街上买烟，往往如愿。三点钟，走在市体委的环形路上，刺眼的阳光深含自由。四下行人稀少，远处飘来琅琅读书声，更让我欣快欲狂，感到全身的细胞都在轻轻颤动。我享受着短暂而超然的无牵无挂，相信自己是如此非凡，不属于任何群体，不接受任何管束，比隐形人还悠闲惬意。我满腔欢喜，胸怀无法容纳，于是迸发为一首弥漫着宇宙风韵的咏叹式情歌：

太阳，星辰，即使变灰暗，心中记忆……

　　我花样百出地犒赏自己。先尝一串酸木瓜或者酸刀豆，再喝一瓶豆奶或者茅根竹蔗水，再买一小袋牛甘果，蘸着辣椒吃……我故意走错方向，绕行远路，以便延长这个下午，让它遂心如意，以豪迈的气度称雄那一年夏天……本来，南方世界持续九个月的漫长暑季和一闪即逝的短促春季令我恹恹欲睡，过早埋下了逃离此地的种子。然而当日的朱槿花分外红艳，使路人不由恍神，深受迷惑，因此城市各处，大大小小的交通事故接连发生……我得在车祸现场多待一会儿，好好瞧上几眼。我底气十足：车祸，即便仅仅是一次轻微的擦撞，是一次不疼不痒的追尾，也并非每天都有幸遇见，机不可失呀……我千方百计拖一秒算一秒，直至挨揍的风险急剧增加，才磨磨蹭蹭返回训练室。归途曲折，景物依旧，但心情已大为不同！走过一片荒地，我看到上面生长着父亲时常提到的老虎蒙，据说用它们的心形叶子擦屁股，肛门会奇痒无比，可以把人逼疯……好吧，快咬紧牙关，迈进院子，爬上楼梯，精神抖擞地投入训练！我开动脑筋，我穷思竭虑，我先前储存的能量块足够支撑到太阳落山，绝无问题！今天不许输，今天要赢！想想该怎么赢，使劲想啊，拼啊，胜负心啊，平常心啊，专注啊……不知不觉，五点半，黄昏的大赦降临了。低气压陡然消失！我们推开棋盘，桌子椅子嘎喳乱响。我们奔向食堂，刷碗！来一支雪碧，打嗝！我们滚作一团看动画片，我们风风火火洗澡，我们没头苍蝇似的冲入黑暗树林，疯跑一阵。我们日复一日跟举重队的姑娘、藤球队的汉子争夺电视机主导权。实力悬殊，显然没戏。父母陆续来探望，来洗脏衣服臭袜子，来给儿女补课或假装补课。爱来不来！我们忙着呢！晚上仍要训练。可有时候，两位教练先后开溜，交代我们各自练习，互相督促。分明是与虎谋皮啊！大伙一哄而散。假如黄材晋心血来潮，杀个回马枪，碰到这等倒霉事，我们认栽，我们排成一队，鱼贯走上楼顶，在满天星子大音希声的俯视下反省思过，互相指戳，窃窃私语……哦，尹秋琳！哦，神秘、欢乐的夜间时光，这份神秘和欢乐实难想象，闪耀着柔情蜜意……

当然，如你所知，那一片明朗之中还分布着许多黑暗裂纹。它们极其粗大。凌晨时分，美梦会消失，可我拒绝醒来。黄材晋犹如根根魔藤缠住我。窗外是一轮着魔的银月，魔物疾掠于老城区上空的月光之海，万象已入魔境……我不敢动弹，不敢搅碎这夏夜深处的寂谧。男人一边摸我一边朝我耳朵吹入咕咕咕喂鸡的叫声，或者哱哱哱喂鹦鹉的叫声，这个手法娴熟的禽类学家压抑着欲望，他呼出的臭气夹杂着焦油味儿和韭菜味儿……宿舍越来越安静，阴影越来越浓厚。我已经不受控制，开始胀大，变成一只巨鹰，笨拙地展开翅膀，同时又开始萎缩，变成一截死蚯蚓，精华蒸发殆尽……我在混乱中想找个庇护所，早些脱离火辣辣的牢狱。然而一切还远未结束。接下来，我将坠入黏糊糊的泥淖，滚热的泥淖，头昏眼花……

我几次三番试着习惯这档子怪事，可惜办不到。阿阮离队两个多月后，黄材晋拉我去他房间，把我当成一份快餐，用粗糙的舌头扫来扫去，用开裂发硬的嘴唇扎来扎去，还要我撅屁股……他终究是把我搞崩溃了，妈了个巴子的，顶不住了！我恶向胆边生，提上裤子，冲下楼去找吴照璁，再去找盛大伦……休想再吃霸王餐，没门儿！你另请高明！谁爱遭罪谁来，反正我不干了！……我去哭诉，去揭发，我让丑事大白于天下。别指望任何人帮你。得自己捅破，搅他个稀巴烂！……陆小风，你很勇敢！……记住，没必要跟人说，让领导来处理……我马上找黄材晋谈……今晚不用训练，批准你回家。

说实话，当初我既不觉得多么羞耻，也不觉得多么愤恨，那时候压倒一切的情绪是心烦，是恼火：事情太多，完全顾不过来，从早到晚我焦头烂额啊！然而，今时今日，情况又何尝改观？忙啊！忙到没空拉屎。我连滚带爬，我争分夺秒，我捱更抵夜，拿冷水泼脸，不让自己倒在床上昏睡。行路难呀！我剧烈咳嗽，引发眼结膜出血，眸子上印着妖异的焰苗状红斑。荆棘载途呀！捉襟见肘的生活，还奢谈什么爱恨，什么健康成长？成长个鸡巴毛啊！我好比水淹的老鼠，我死死攥住一根将断未断的枯藤条，生怕被一阵狂风刮走，飘向高空，落到天边外……哦，你从未领教过劲风吹大野的阵仗？恭喜呀，你这个幸运儿，屁眼里塞着颗定风珠降生的小混球！你知不知道，我们绝大多数穷光蛋，必须拼尽全力，手脚并用，才可能捞到、抓牢那么一两簇扎根于悬崖峭壁的筋骨草，或许还捞不到，抓不牢……

黄材晋把我当快餐的日子宣告结束。我听从父亲的指点，躲得远远的，不让他再亲我。又过了几个星期，体工大队一纸文件，把黄材晋从主教练的位子上拽下来，换成吴照聪担任，调整的理由是棋队战绩不佳。大龄青年的脸色一天比一天黑，似乎会一夜之间变为木炭。他权力剧减，只够去收拾汪立国、杨小贱之类的货色，本人则改由吴教练直接指导。不过，很长一段时光里，黄材晋威风犹存，依旧顽强地僵立在我面前，扮演着某个职责模糊不清、关系若即若离的奇特角色，感觉犹如一尊蜡像，虽然逼真，但徒具形骸。他继续跟我下棋，盘盘悔棋，他继续带着孩子们到处比赛，赴外省集训……这根矍铄的老黄瓜多年阴魂不散，游荡于我周围的三街六巷，甚至围棋队解体之后，他仍屡屡现形，今天在你学校附近租房，明天在你亲戚朋友的言谈间若隐若显，好像随时会推门走进来……我那不可理喻的母亲一遍遍提醒、建议、鼓动自己的儿子，去联络他情深义重的启蒙老师。而本人同样不可理喻，竟低下头乖乖照办。大学四年，我总在寒暑假跑到黄材晋开办的围棋道场串个门，露个脸，瞎扯几句，偶尔还撞见唐克克、汪立国，以及身材走样的大师兄关卫海。我始终隐忍不发。直到有一天上午，时近除夕，母亲又在啰里啰嗦，唠唠叨叨："黄老师结婚了，你是不是应该去恭喜恭喜，参观新房……"应该？啊！啊！应该个屁啊！我受够了，今生今世不想再听到这鸟人的任何消息！我终于又一次失控，当场掀翻老男老女们其乐融融的麻将桌，霎时间红中白板齐飞，南风北风乱碰，满屋子七万八条九饼和幺鸡……本以为这下子可以耳根清净了吧，在家可以安逸了吧，岂料我母亲顽固得令人切齿，令人发狂！她不是省油的灯啊，她耿耿于怀！这位中学校长之妻的执念简直匪夷所思！她暂且蛰伏，她藏头露尾，她迂回绕道，等到时机成熟，才冷不丁再度抛出那个使我心头一颤的名字，还假装是无意中提起的，让你不好发作……他妈的，不可理喻啊，不可理喻的一家子怪胎！……

前文说过，我事情太多，整天屁滚尿流，自顾不暇。这句话听上去有点儿浮夸。但是，以本人当时超负荷的精神状态而言，确有七八分近似。三年级，我从星园小学转到南园小学借读。父亲认为，这儿离市体委很近，师资又大大好于市体委自办的小学，于是运用他教育局的人脉，将我安插进来。办完这件事，男人感到颇有面子，得意扬扬。我在南园小学的班主任是一位年轻女教师，姓罗名韶芬，她眼睛很大，颧骨很高，两条腿又粗又长，撑得喇叭牛仔裤紧绷发白。罗老师发话斩钉截铁，非如此不可，否则无法镇压本班级的鬼怪妖魔。我在接下来的两年渐渐体会到，她骨子里其实相当温柔，是个极富正义感的纯真大姐姐。转校生闯入新集体的首次化学反应，亦即我们共同面对的第一道难题，自然与座位有关。教室十分拥挤，五十多个小皇帝叽叽喳喳终日吵嚷，斗争激烈，但是，我还注意到，有个庞乎其大的肥仔正趴在偏远的角落里，如同搁浅的巨鲸，全无动静。这家伙身边是一片肉眼可见的无人区，仿佛隔离带，仿佛他以强大火力扫清的射界……实际上，在我们坎坷波折的一生当中，会不间断地遇到一连串肥仔、肥佬，比如我眼前的禽兽陆庆春，比如我后来在郑州结识的电子游戏先知阳少九。这些满身悲剧气质的胖大生物似乎贬谪自天界，其碾压常人的力量如此短促、蛮荒而饱含毁灭的意味。诸位想必也接触过此类肥仔、肥佬，他们跟亲切友善等字眼完全不沾边，他们踞坐于自己寂静的领域之内，时刻准备把不知死活的入侵者撕成碎片，抛向饮血的祭坛。这种肥仔、肥佬是一只只人形火药桶，极不稳定且极度致命，他们一旦生无可恋，或者凡间受苦期满，很可能在毫无预兆的情况下自燃自爆，肉体炸成碎末，让脂肪包裹的真身大张旗鼓地溃陷于一团金焰之中，阴郁的灵魂则脱离尘世，升往星丛……那天上午九点钟，跟随罗老师走进教室，我一看到陆庆春趴在课桌上瘫废如泥的鬼样子，立刻心惊肉跳，明白这一劫注定难逃，今后将不得不与此人做伴，险象环生……

陆庆春，这个跟我同姓的大魔王，腰围比我粗六圈的留级生，坐在垃圾桶旁边，紧挨铁条焊死的窗台，离本人不足两尺远。他靠着新粉刷的洁净墙壁，脸上的肥肉不时抽动，似醒似睡，神情邈然。布满划痕的桌子底下，死肥仔用脚不断蹂躏前排小男孩的屁股，他凉粽似的脚丫很臭，很脏，趾甲又长又硬，被它戳中的屁股肯定不好受……陆庆春是个早产儿，生下来囟门宽大、胎毛浓密，像只怪物，把亲娘吓得魂飞魄散。他从小劣迹斑斑，放过火，留过级，拿秤砣敲碎过一名保姆的鼻梁，用刀子捅伤过另一所小学的体育老师。陆庆春第一次来找麻烦时，我并不知道他一身痴肥是因为脑子有毛病，也不知道他已在南园小学周边打下地盘，更不知道他祖父刚当上军分区司令，而这个参加过七九年对越反击战的老男人并不喜欢自己又胖又黑又坏的大孙子。陆庆春问我借十块钱，明天上学，要见到钞票。好一笔巨款！狮子大开口啊！可是本人没那个闲工夫去琢磨他言语中流露的威胁，简单点头答应……忽然间，我又想起些什么。

"给你市体委的饭票，成不成？"

陆庆春永远困乏的眼睛似乎睁开了一线。

"再加一张五块的。"

我打开书包，翻出两张红色的塑料票子，递给肥仔。这是前一天从苗裕手里赢来的。盯着陆庆春一贯颓丧、此刻还藏了少许好奇的熊猫眼，我说：

"你要么只拿一张，要么拿两张，找我五块钱……"

死肥仔一抄手，夺过两张红票子，翻来覆去瞧个没完。我也并不指望真能捞回五块钱，于是转身便走。棋队的小孩只上半天课，下午还得训练。本人近来正连续抵抗唐克克、关卫海大师兄的凌厉攻势，以及强硬的吴照聪教头那蛮不讲理的乱战招数。没错，这固然是提高棋力的良机，但我情绪低落，脚步沉重，冥思苦索却无计可施……唉，我太软，又怕输啊。真正的天才，他们对失败就毫无畏惧！他们是一帮唯我独尊的狂人或假装精神正常的疯仔癫佬，脑袋里摆着一张，两张，甚至三五十张棋盘，堆满黑子白子……唉，下个月的少年个人赛，我赢不了旧省城的四眼刘青霖，好歹要打败比我年龄还小的栗子头邹骏捷啊……你陆庆春算条卵毛。

"等一等，"死肥仔笑眯眯的，很讨人嫌，"我们再聊聊……"

那天中午，日晕广大，蝉鸣刺耳，陆庆春拉着我到桃源饭店侧门旁蹲街。他拦在窄巷前，勒令来往的低年级学生留下买路财，否则拳打脚踢，再用他又臭又脏的大屁股镇压。陆庆春收够十元钱，揣进裤兜，又从另一个裤兜内抽出一张洗过的大团结，递给我。老兄你在变魔术吗？谁见过如此弱智的魔术？随后这个死肥仔叼起一根贵得要命的硬壳希尔顿香烟，模仿港片里黑社会大哥的架势，拍了拍我肩膀。

"去吃牛腩粉吧，"陆庆春说，"请你喝豆奶。"

本以为事情就此告一段落。然而树欲静风不止，各方面发动的讨伐已经上路，恶狗般竞相朝我扑来。窃钩者诛啊！黑云压城啊！不许百姓点灯啊！……傍晚时分，训练赛结束，我从失败的泥塘中挣扎爬回现实，脑子一片纷乱，劫后余生的轻松感逐渐将意识泡软、麻醉、猛烈侵蚀，仅保留丝丝缕缕无端的愤怒使它维持运转。我站在栏杆前，向夕阳下披着橙光的田径场投去厌恨的目光。奔跑吧，杂碎！乱耸乱颠吧，姑娘们！左腾右闪吧，奇情勃发吧，牛鬼蛇神！暴风雨之前的宁静好像一个小脚老太婆蹒跚走近，菜篮子里装满了死鱼烂虾，沿途滴落金闪闪的腥臭汁液……我在等待闫文静，等待雷蓓，我可爱的同学，我尊敬的班长以及副班长。她俩住在市体委家属区。她俩每天绕过大半个田径场，来告诉我老师们下午放学时布置的家庭作业。家庭作业！为什么要写家庭作业？本人明明已离开家庭，住进围棋队宿舍……有时候闫文静直接塞给我一张纸片，有时候指示我自己动手抄录，全看她心情。那天黄昏，两旁栽满了扁桃树的林荫路被无数道斜晖刺穿，千疮百孔。我在三楼阳台望见两个女孩子，迈着小跳步远远走来，心中莫名欣喜，不禁冲她俩挥了几下胳膊。闫文静一抬头，笑容收敛，招呼本人立即滚到她跟前听令。我倒骑在步梯扶手上，沿着油光光的水泥斜面，哧溜哧溜飞速滑到楼底。可是闫文静既没有递来一张半张纸片，也没有交出任何东西以供抄写。她翻着白眼，反复背诵一段话，催我赶快记录。

"有人看见你中午和陆庆春在一起。"雷蓓说。我当然明白，是闫文静要她讲这句话。

我继续写字，没敢看她们。"陆庆春又不是瘟神，又不是冥界三巨头，"我笔走龙蛇，纸上呈现一团团鬼画符，"跟他吃个米粉而已，别大惊小怪……"

　　"陆小风！"闫文静眸子一扫，终于开枪放炮，她威风凛凛，她英姿飒飒，让我感觉大事不妙。"你要跟谁玩，没人管得着，你要当冥界三巨头，要当一百零八天煞星、地煞星也请便，"她戳了戳本人锁骨下方最怕痒的部位，"不过，我身为中队长，绝不会让你们几颗老鼠屎坏了一锅汤……"

　　我暗想，用你闫文静煮汤，应该不错哇。当天晚上，本人下到宿舍楼的值班室，交两毛钱，往凶巴巴又俏生生的中队长家里打了个电话。我规规矩矩、恭恭敬敬问候她的父亲，自称是某某，想请教令千金一道数学题。实际上我可没打算做什么数学题。本人向电话那头不大吭声的闫文静提议，如果她给我抄作业，我答应不再招惹陆庆春，不再跟他上街乱耍，说到做到。中队长误以为，我下午不上课，学习吃力，难以跟上她一日千里的惊人步伐，于是才颓废堕落，甘与陆庆春之徒为伍。

　　"要不然我帮你……帮你补一补课？"

　　给我抄作业，再帮我补一补内裤吧！

　　"不大好啊，多劳烦你老人家啊……"

"没关系，"闫文静的声音从话筒中传出，像一只打洞时不经意掘到一线光明的土豚，越来越兴奋，"说定了，陆小凤！隔天给你补一次课！让我想想，是一三五，还是二四六？……"

闫文静，我好心没好报的亲爱班长，我相逢何必曾相识的男孩头姑娘，我无缘一启齿的小邻居以及受创深重的童年之友！

十月下旬，我们去海南岛参加比赛。吴照聪带队——谢天谢地！——他老婆和五岁的儿子佳佳同行。我们先坐火车，来到湛江，再换乘快船，前往海口市。横渡琼州海峡仅需四十分钟。湛青的大海。我们仿佛是一小撮寄生虫，依附在一条巨大飞鱼的背鳍上。尹秋琳狂吐不止！吴教练的老婆狂吐不止！我也狂吐不止！佳佳脸色惨白。苗裕嗷嗷乱吼。关卫海大师兄托着下巴沉思他狗日的人生。我们确实看到了飞鱼，它们稀稀拉拉，层出不穷，像一根根硬屎橛子冲破泛着浪沫的水面，僵然滑翔片刻，又隐入波涛形成的莽原深处。晕眩啊！是飞鱼还是飞屎，根本无所谓！我拼死拼活承受着工业文明与大自然狼狈为奸的合作成果。真希望全体乘客，不分男女老少，不分贵贱贫富，统统抱头痛呕，挨着搂着一吐为快！但有些人偏偏屁事没有！苦啊，这天杀的客船！马达强劲，轰鸣不休，我们在转暗的旋涡状海面上起落，头顶是苍穹的无限层级，到处乌云堆积，犹如烂棉絮，浸泡于低纬度阳光的金色浓浆里。长风横掠，摇撼船身，击打耳鼓。强烈的汽油味钻进鼻孔，伸出爪子掏肝挖肺，把你虚弱无助的小肠拧断，把你臭烘烘的大肠当九节鞭耍，企图榨干你体内的最后一滴汁液，包括胆汁、尿液……我们一个个自身难保，预感到灭顶之灾即将来临，唯恐发生海难，葬身鱼腹，于是人人都疯狂地抱住椅子扶手，歇斯底里地尖叫，哭号，咒骂，乃至挤作一堆，互相乱踩。当半身不遂的脑瘫老快艇从波峰重重跌落时，我们血管收缩，瞳孔散大，我们像一排排挂在晾衣绳上飞舞的布片，稍不留神就可能脱离集体，呼啦啦一阵乱滚，飘向生死未知的浩荡远空……

终于离船登岸。我捡回一条小命。我把自己颠得八花九裂的魂儿凑齐拼好。下午两点钟，经毒辣的太阳一晒，大伙汗毛倒竖，浑身起鸡皮疙瘩。这些讨厌的颗粒一直不消退，反而持续增多，转化成厚厚的铠甲把人裹住。在码头外面的街道上，我花九块钱买来一颗极其硕大的杂交芒果，个头赛过番木瓜。

它黄里透红，但不太好吃，应该说相当难吃，味同嚼蜡……正是这颗金玉其外的老芒果使本人沦为笑柄，长久遭受亲戚的揶揄挖苦，父亲则认定此事折射出我荒唐、败家、惹祸招灾的恶劣本质。

然而，海南岛之行其实很不赖，我鸿运当头，既没有被高空坠落的椰子砸死，比赛成绩也令人满意。那几天，来自全国各省市的大小棋手聚在一所疗养院里捉对厮杀。我们四周是面积广阔的破旧居民区，终日人来人往，路边商贩的吆喝声、收废品的铃铛声、摩托车的喇叭声以及婴儿的啼哭声此起彼伏。不过比赛场地却挺安静，上述喧嚣在这儿已衰减为若有若无的嗡鸣，室内只有落子、拍钟的噼嘀啪嗒，外加咳浓痰、放响屁的咔咚哔噗，以及啜饮滚茶者那无比快意的唏呖嗦噜……在热带风暴余威的加持下，本人接连取胜，令教头和领导眼睛一亮，最终促使他们决定，将我送去旧省城训练，送去郑州训练，请冯先进老师出手打磨、锤炼、锻造，尽管我仍然很不够格……

哦，当地的海滩使人难忘！棋赛间歇，迅猛发育的尹秋琳穿上她紧窄的粉色泳衣，在细沙上奔跑，在躺椅上晒日光浴，把关卫海大师兄撩拨得燥热难耐，也让小苗裕看得眼珠子几乎掉下来。我盯着尹秋琳还没什么肉的屁股蛋，想到陆庆春，想到班长闫文静，再想到我自己滴血的心头烂疮……哦，尹秋琳要畅游一番！姑娘兴致勃勃！管他妈危险不危险！关卫海师兄和小苗裕紧随其后。冲入大海之前，两人飞快地屈腿伸臂，动作好似岩画上环绕篝火跳舞、用青蛙当图腾的远古先民。不久，我们一个不落地拽住海洋的裙边，接受波浪之褶的凶猛拍拂，痛得哇哇哇直嚷，鼻腔里填满咸腥味。苗裕像兽性大发的巨猿一样捶打自己的胸膛，围着尹秋琳又蹦又跳；关卫海师兄怒目挺身，摇摇晃晃站在摆荡不已的潮汐之间，大玩金鸡独立，双手折拢如一对烤焦的禽翅；吴教练绊倒了，在苦涩的咸沫中翻腾，在亮晶晶的银色斑纹里狂打喷嚏，捞摸贝壳、破烂、死蟹，阳光从他树桩似的两腿间透过，将他晕染成一只金光灿烂的、倒竖的大号弹弓；连五岁的佳佳也挣脱他母亲丰满的怀抱，扔掉充气海豚，脱掉裤子，露着无耻的小麻雀，去找黑美人姐姐戏水……

在海南岛，我两度晒伤，两度脱皮，两度搽抹绿莹莹的透明药膏，背部如火烧针刺，又疼又辣，不得不趴着睡觉。熬到比赛结束，我们拎上大包小包的土特产，如同一伙逃难的灾民，乘坐夜航的慢速班轮回省。那一晚风平浪静，可以望见远处的稀疏灯火，充满梦幻色彩，也不知它们是来自陆地，还是来自虚无缥缈的海上城市。徘徊于船头的男男女女无不觉得，他们好像在循着低缓的洋流骑自行车。天空多云，看不到几颗星星，发蓝的圆月忽隐忽现，水面一片深紫，细浪稠厚如焦油，似乎毫无生机。咣咣作响的甲板上，有几个男人在轮番吟咏关于月亮的唐诗宋词，他们一会儿哀叹一会儿狼嗥，哭一阵笑一阵，酷似一群拜月教的病态祭司，正在以咒语召唤高空的气浪，驱赶碍事的朵朵阴云……哦，海上升明月……啊，明月来相照……哦，举杯邀明月……啊，天涯共明月！……哦，明月几时有？……哎哟哟，这下子轮到苏东坡了！他们大为振奋。他们朗声齐诵。他们自觉排着队，哼着小调欲乘风归去，又恐半路摔死。他们起舞弄清影，却高处不胜寒，涕泪横流乱淌……苏东坡，你这个屎棋，你受虐成瘾，胡诌什么胜固可喜，败亦欣然！真是句蠢话。输了还好意思欣然，要脸不要脸？但一位膀大腰圆的先生说，苏仙的境界学不来呀，根本没法子效仿呀。我举双手赞同。苏东坡无愧为唐宋八大家！够硬啊，既臭且硬，堪比一截石化的搅屎棍！……

我没有继续听那几个无限崇拜苏东坡的老男人哇啦哇啦讲话。海南岛之旅诚然是一次朝圣，可他们再怎么群情激昂、血压飙升也不肯跳船自杀啊，因此接下来的交谈全无悬念，令人兴致索然。我返回船舱，去找昏昏欲睡的尹秋琳闲聊。我又一次提到不幸受伤的举重少女韦鲜花，提到这姑娘已无路可退，提到她父母靠种几亩芋头供她哥哥读书。然而黑美人对女子举重队历来没什么好感，兴许再加上困倦、劳累、迷茫，她很不耐烦，竟轻率地指斥我小小年纪已变成色情狂，无可救药！尹秋琳，你当真冷酷。你没有一丁点儿同情心啊！……

回到市体委，我把软塌塌的皮箱子往床底一塞，洗个冷水澡，继续原先的生活：上午去南园小学，下午训练……同班的小家伙们不得不接受我神出鬼没的现实，于是有人羡慕，有人厌恶，更多人则漠不关心，总之，不外乎男孩女孩的众生相……与闫文静的约定，我不敢忘记，而且执行得还算合格，所以她网开一面，默许陆庆春上完课回家前跟我随意聊几句，谈谈他脑子的病变、他为人处世的暴力哲学，以及他天理难容的愿望和梦想……某个星期六早上，做课间操时，班主任罗韶芬突然派班长传话，让我去一趟她办公室。古怪呀！本人没偷没抢，没在课堂上拉稀，完成了作业，撑过了考试，为什么要去那个鬼地方，那个暗无天日的黑风洞？我正在认真做操！第六节踢腿运动！我们是共产主义接班人啊啊啊，继承革命先辈的光荣传统！我玩命锻炼身体！我一板一眼，我严丝合缝！一二三四，二二三四！干吗？你大点儿声！别妨碍我做操哇！下面是第七节跳跃运动！爱祖国，爱人民，少先队员是我们骄傲的名称！三二三四，四二三四！向着胜利勇敢前进，勇敢前进！……众目睽睽之下，闫文静也不好意思直接叉我脖子，揪我耳朵，她抓住广播站的大喇叭停下喘气的瞬间，迅速传达了罗老师的指示，转身便走……

办公室里，陆庆春正站在堆满试卷、作业本以及学生手册的桌子旁，按照老人们的说法，站没个站相，歪着脑袋接受罗韶芬训话。听见我喊"报告"，她朝门外招招手：

"陆小风，坐我对面。"

耍离间计，老师，你烦不烦啊！但以本人的年纪，要违逆这道温柔的命令还太早，要装疯卖傻又太迟了，因此毫无办法，唯有乖乖遵旨照办。

罗韶芬喝了口茶，润了润嗓子，继续开动她滔滔不绝的联合收割机，在陆庆春的恶行恶状之上推进。不知道她是为了哪件破事、哪个短命鬼而冲着死肥仔发功吐火，反正我只管回味她刚才喝茶的凄苦姿态。罗老师讲道理，谈感情，不惮唇焦舌敝，手指尖乱划乱戳，要陆庆春睁开眼睛，要他扪心自问。我们年轻的班主任不惜把咸鱼掰活，不惜屁股离开椅面两寸，不惜耗空自己没什么内蕴的阅历家底，她发于肺腑的劝诫足以令顽石点头，铁人落泪。可是陆庆春岿然不动。

"老师，我想拉大便。"

罗韶芬像个戳了洞的充气玩具，顿时萎靡不振。她颓坐良久，才批准胖子使用办公室的洗手间，指派我当看守，自己则失魂落魄地走到门外，走向教室。

"我马上回来。"这句话传进房间时，她又粗又长的双腿已不见踪影。

陆庆春在厕所里连连呻吟。老实说，我很担心大胖子光着腚冲出来，到处找手纸。而且，他要逃跑，谁敢挡啊？拿什么挡啊？我坐在办公桌前，随便抽出几本作业，乱翻乱瞟……副班长雷蓓的字迹娟秀而工整，不像闫文静的，虽然也算漂亮，可是隐藏着一份躁恼，暗示她渴望拯救世界，或者摧毁世界，总之不乐意把时间浪费在鸡零狗碎的琐事上面。闫文静是人类之中的神族啊！她毫不畏惧陆庆春这等凶残恶魔，她似乎能把黑胖子高举过顶……哦，她是另一个韦鲜花，另一款女大力士！朦朦胧胧的启悟让我激动不已。当她们拎起杠铃或者陆庆春，我躲在一旁，从容欣赏这雌威大发的场面，欣赏浑身是劲的姑娘紧绷到颤抖的健与美……哦，卑微的绮梦！哦，不可言说的人生享受……

在我们坎坷波折的一生当中，除了不间断地遇到一连串肥仔、肥佬，还会遇到多少名女大力士，把这些肉墩子当成杠铃，高举过顶？

罗韶芬返回办公室，掩上门，问起围棋队的情况。我没头没脑地胡乱作答，把一堆格调粗俗、底色阴郁的画卷随意抛到善良女教师身前，让她以为那是一座奴隶市场，是吃人不吐骨头的龙潭虎穴。然而我这位班主任的目光满含猜疑。足见她像牛皮癣一样顽固不化，她平等、自由、博爱的信念像鸡眼一样不可动摇！……我们的想法势同水火，差点儿迎头相撞，幸亏她转移了注意力，因为陆庆春仍待在厕所里。时间真够长的。难道他便秘了？睡着了？或是蹲坑太久，腿麻无法站起？还是其他什么原因？我在罗老师的坐镇指挥下前去拍门。没有任何回应！我耳朵贴着锁孔，屏息凝听。没有丝毫动静！罗老师急忙钻进文具和纸张的密林中寻找钥匙。她一言不发，脸颊微红，手抖得挺厉害。橱柜上松散摆放的文件夹、订书钉、回形针、墨水瓶、黑板擦、信笺、彩色铅笔以及空白奖状，连同大大小小的字条、纸片，纷纷搅作一锅粥，接连塌倒，往外跌落……陆庆春脑子有病啊，再加上他随时自爆的肥仔特质……糟糕，这家伙会不会大限已至？他会不会悄无声息地炸开，溅得墙壁上全是肉酱？他那两颗白多黑少的眼珠子，会不会保持完整，骨碌碌滚入便池，奔向无比幽深的化粪池？他一年四季穿在身上的长袖海魂衫，会不会粉碎成絮状？……我满脑子陆庆春惨死粪坑的骇人幻象……锁头终于打开，卫生间里空空如也，连个鬼影都看不见！老天爷，大胖子屎遁了！嗖嗖两下，从窗户飞走了！这可怎么办！罗韶芬肯定认为是陆小风在装妖作怪，放跑同伙陆庆春。我冤啊，我枉做小人啊，我必须洗刷嫌疑……

从南园小学返回市体委，仿佛从一场乏味皮影戏的高潮返回真实生活。这样的切换，不得不再三享受，没完没了。路过关卫海大师兄的宿舍时，我发现他盘坐于床铺上，犹如一条藏身珊瑚丛中的隆头鱼，蚊帐垂挂两侧。他大约又在埋首钻研什么吐血的可怕棋谱。我打算一探究竟，走进屋子，绕过一张堆满了扑克牌、旧报纸、果皮菜渣、烂绒破布的长形书桌。这个房间永远比外面阴凉，又湿又暗，好像蜈蚣精的巢穴……与关卫海大师兄同屋的鹿武韬、马毅两人应该是去了食堂，他们还在长身体，他们针尖对麦芒的身体越来越魁硕……眼下，关卫海大师兄耐住饥饿，倚着巨枕，双手捧着一盘小小的磁铁围棋，竭力想从吴清源挑战本因坊秀哉的名局当中抠出一点点他可以消化的陈年真髓。我这位师兄，家住西郊的平板玻璃厂，所以他年轻的骨质和血液里羼杂着许多硼酸、氧化硅、稀有金属，如今再加上浓缩于脏兮兮的蚊帐之内不分昼夜的棋谱精粹。他心爱的宝贝蚊帐密不透风，未经允许，切不可擅自撩开，否则就是捋虎须，触逆鳞，就是纯粹找死……我在床边站了两秒钟，关卫海大师兄才将老蚊帐收起，准我坐到凉席上。

"风仔，你看看这一步……"脸部痤疮通红的少年以指作戟，为我点拨激战正酣的混沌局面，"妙手啊，棋筋啊，神鬼莫测啊……"

实际上，当年我之所以屁滚尿流，自顾不暇，首先是因为那些个棋理太过高深，根本弄不明白！而唐克克、关卫海大师兄似乎已摸到门径，即将登堂入室……为什么这一步是妙手？样子很普通啊，搞不懂啊！我一知半解，雾里看花，恍惚觉得大凡吐过两口血的棋圣无不在蚊帐下隐隐发光，映照着关师兄摇来晃去的漂亮小分头。他不愧是吐血爱好者，古今中外的吐血名局如数家珍，黄龙士对徐星友、吴清源对木谷实、本因坊秀策对井上幻庵因硕……关卫海大师兄如此迷恋流鼻血、咳血、尿血，他面色苍白，他暗恋尹秋琳，始终善待阿阮，这名又高又瘦的温柔少年爱说冷笑话，其实非常抑郁……他豁达啊，他耿直啊，他内心苦楚啊！他抬起头，冲你微微一笑，哦，无限哀愁在其中！……年龄的狂风巨浪不断拍打他棋艺的城垣，他刚过完第十五个生日，岁月不待人呀。关卫海大师兄晚上睡不安稳，经常大半夜跑到楼顶，光着膀子仰观星象，感悟无上棋道。他默默与炯朗夜空的众多天体辩论，他舌战群儒，不分个高下绝不罢休！……这位少年发狠时地动山摇，发呆时眼珠似两颗泥丸，他会唱几卜子粤剧，他日复一日穿着一双旧拖鞋，他洗了又洗的短袖衬衫白得发亮……关卫海大师兄亲切、深沉、机智，让我尝到有个哥哥的滋味，那阵子他比我亲哥哥还亲，而我真正的哥哥岂但没什么做哥哥的样子，更是屎棋中的屎棋，跟苏东坡一样……关卫海，你是省城三教九流的棋王啊，你让那帮子茶馆老油条俯首称臣！唉，你怎么就中年发福了，你怎么就心肌梗塞了，转个身就死翘翘了？何以如此突然？我想念你呀，关卫海大师兄……

时隔三十年，重访故地，我发现原本浩大、深宏的市体育委员会已蜕变为宁静、狭窄的市体育局。街边的小叶榕不见踪影。从太平天国运动时就一直坐在树荫下乘凉的老汉们，也被无形的大笤帚三下五除二扫进了光阴垃圾堆。市体委的正门，我曾经无数次穿过的崔嵬巨拱，顶部的红旗状水泥棱子插成倒八字，苏联风格，如今竟升格为文物，砖壁嵌着一块黑色花岗岩铭牌，上书"省体育场门楼"六个行楷大字。而居于市体委核心位置的主体育场，经过反复拆建、改造、涂刷、粉饰，仅剩西北一隅仍依稀可见早年光景。野草丛生的空地上竖起了密集的新场馆，它们与多次翻修并伪装成新场馆的旧场馆格格不入，相互敌视。原先的几栋宿舍楼业已拆除，代之以高耸的大厦以及拥挤的油污店铺……

我在这里住过六七个寒暑，感觉好像待了漫长的一生一世。

九岁以前，父亲周末便来接我回家。下午五点，他蹬着历久弥新的自行车，钻过翻胎厂外涌动的团团焦臭，横穿铁路，骑过吵吵闹闹的水电厅幼儿园，骑过实验电影院，骑过宽窄各异的条条马路，最终来到市体委，进入黄昏之光笼罩的雄奇大门……归途平静舒缓，混合着难以言传的忧郁，男人还把我当成原先那个呆坐在他单车杠上、听他乱唱乱吼的傻孩子，其实我已经大为变样，不复从前。父亲的保留曲目，统统是天底下最凄惨的歌谣。他嗓子沙哑，不紧不慢的男低音在河南平顶山摩天岭结结实实磨砺过。而我相当苦恼，因为时光随着父亲的歌声徐徐减速，足以令人一日比一日更多愁善感。街道两旁，大叶桉的树皮如葱油饼层层剥落。父亲一路哀号，好似伏尔加河上苦难深重的纤夫拖着破船，从《三套车》唱到《老黑奴》再唱到杀伤力极强的本土歌谣《泥娃娃》。但我没有像几年前一样泪眼婆娑。我拼命忍住。父亲的单车超过了走路回家的汪立国，又被苗氏父子的三轮摩托超过。那天父亲骑车的速度不及平常的二分之一。我们莫名其妙穿过中山桥下方的街

115

廊。此处原为一段护城河，因市区不可遏制的扩张而两头淤塞，于是政府派人将死水排干，铺设砂石路面，再搭起铁架棚子，装上纹路繁复的有机玻璃板，改建成眼下这番模样。它终年承受着北回归线以南的太阳那无比热情的直射，不论春夏秋冬，大多数日子总是玲珑剔透，五色斑斓。作为本城沉寂旧时代仅存的遗迹，街廊内还有炒龙虱售卖，此种黑油油的美味虫子散发着几乎令人痛苦的香味……单车穿廊而过，我很放松，很自在。斜阳余晖勾勒出街头男女的轮廓，给他们套上锃亮的盔铠。这些归巢者变成半人半兽的奇特生灵，长着明灿灿的鞭毛，在营养液中安静划水。周遭万物镀上了一层熔融的黄金，被夕火折磨得病恹恹、软囊囊。道路两旁，贫穷的窗户炽灼发亮，房门内一团漆黑，屋檐下久坐的老人好似一截柳木，全身满是虫瘿……光芒沉厚的空气里，铃铛声回荡无休，格外萧条落寞。抬头，眯眼，可以看到污秽的玻璃板在虹膜上反射着七彩圆晕……父亲的单车如一条铁鱼游过长街短巷，来到星湖，进一步放慢了速度。这片人迹罕至的开阔地当初遍布着大大小小的菱形水塘，如今已悉数填掉，据说是因为附近居民嫌它们招蚊子，谁也不晓得真假，基本上无从考证……那天黄昏，穿行于蛙声阵阵的星湖之中，我毫无预兆地认识到父子间的鸿沟何在。麻雀、鹊鸲、白头鹎，如万箭齐发，从我们上方掠过，要躲进苍穹的无穷褶皱深处。东南天际，三千丈暝色正缓缓降下，即将覆盖凡尘。我发觉，父亲像鸟一样害怕不可预知的事物，他在儿子长大成人之前就匆匆老去了。星湖的暮空比别处更加明湛。我们全然不知雾霾为何物！低垂的塔状积云将粼粼水光反射到周边区域，让温柔、晃荡、明暗交错的波纹扫过人烟稠密的楼房街道和操场。每到日落时分，附近的居民便徜徉在海底龙宫的瑰异幻景里，微笑着走入梦境……

崎岖不平的塘边小径上，父亲推车步行，指导我辨认水鸟、云气乃至星座。知识宏富的文理双料本科！他是省城中学教师界公认的才子，是社区名人以及大伙交相称颂的万事通，他满足于诸如此类的头衔，而我根本不把他这点儿可笑的声望当一回事。多年以后，我才总算明白，那是古老时代残留在父亲身上的余绪，是地方传统和市镇荣誉感的最后一抹亮色，而作为他生来叛逆的小儿子，我势必一天天远离这个渐冷渐暗的太阳系。九岁，学会骑单车，正是我踏上独立征程的第一步。

父亲开始沿着一道坑坑洼洼、歪歪扭扭的陡坡上行，钻进一座僻静的大院。我于是猛然清醒。我生怕遇到一个声若洪钟而眼似铜铃的秃汉，此人一现身，必定挡在车前，要我叫大大，他年轻时可以连翻七十二个筋斗。哦，这里是字正腔圆的京剧团！与外界相比，这里似乎连天候也迥然不同……

京剧团，原本是一座远离市中心的荒寂大院，系由上世纪五十年代一伙支援边疆的首都艺人所创立。他们的调子委实动听，比本省的蛮声獠语不知悦耳多少倍！活像画眉鸟在引颈高歌！他们的卷舌音绕梁三日啊！他们的儿孙则在此地实现了京腔与本地腔的奇妙混合，能熟练运用省城的俚词黑话，给人的印象犹如血统不纯而导致魔力消散的次代牛头怪……每年夏天，我习惯上剧场看一遍《苏三起解》的彩排，或者再看一遍《思凡下山》里小沙弥玩杂耍的戏码。幻灯机把春联似的台词投影到舞台两旁的粉墙上，让我十分着迷，反复揣摩其中奥妙。某天傍晚，实验电影院上映一部泰国片，父亲给我买了张票……哇，凄美的故事，恐怖的镜头！于是，转瞬之间，我感觉天翻地覆，排练场幻灯片上难懂的行书大字魅力全失……

我们住在家属楼顶层的尽头，邻居之中有个拉小提琴的孩子，他脸光无毛，体形像个高音谱号，胳臂上贴着麝香跌打风湿膏，自幼频繁获奖。还有个弹扬琴的小姑娘，长发遮面，地包天的下巴，手背上全是青筋，似乎从未获奖。他俩把乐器当成飞机大炮，朝我家狂轰滥炸。啊，如泣如诉！隔壁是哭个没完的帕格尼尼！对门是大珠小珠落玉盘的历代演奏大师！客厅成为主战场，音符的龙卷风终年在这里肆虐，两种截然不同的琴声犹如两名相扑选手，耐力十足地展开殊死搏斗，将整套房子推来搡去，将瓶瓶罐罐悉数震裂……我们仿佛置身于音乐炼狱的底层，不知不觉受到节拍器的控制，随着重复的旋律吃喝拉撒，胡思乱想。父亲那间杂物室式的小书斋外头，生长着一株高大的玉兰树。六七月份，不少穿麻布褂子的中年人举着细细长长的蚊帐竹，跑到我们楼下打玉兰。夜晚，这些白色幽灵在热烘烘的土地上游走，低头捡拾掉落的沉重花骨朵儿。他们默不作声，视彼此如无物而又互不妨碍。竿子碰撞树枝的沉闷哼哼声听上去使人心里发毛，玉兰倏倏往下落……最初那两年，我时常与父亲下棋下到深更半夜。虽然父子三人同在一张大床上，但哥哥早已坠入梦乡，正游荡于他朝思暮想的星野之下，挥舞着扑网捕捉萤火虫。父亲则手执一柄灰布条包边的蒲葵扇——祖母的精神乃至形象，永远寄寓其间——在哥哥的脑袋上扇啊扇啊，好让他狂喜的梦境清凉些。空气中还残留着少许炎昼的热意，玉兰花的浓香从窗外飘进屋子，在白炽灯周围盘旋。我沉迷于争胜，手上的玻璃棋子滑来滑去，催眠般喊嚓直响……

天蒙蒙亮时，吊嗓子的演员咿咿呀呀喊成一片，再过不久，京胡、小号、短箫等等乐器你呼我应，各种忽高忽低、没腔没调的声音混作一团，从大院上空扑拉扑拉朝四面八方飞去……我睁开眼睛，迷迷糊糊，因白天的来临而深感沮丧。

英俊的小白狼出现了。他注定要掀起惊涛骇浪。此人不是围棋队成员，不是体委职工，更不是偶尔来陪练的业余强手，而仅仅是我们的玩伴和吉祥物。白狼一出现，杨小贱在男色榜的排名立即下跌，屈居次席。钻石面孔的大帅哥！如此俊美的流氓，本人这辈子只见过他一个。我第一眼看到小白狼，就相信容貌丑陋是苦闷的根源，但我那时并不明白为什么长得漂亮等同于开门迎祸。这个街头狂走的阿喀琉斯！这个无忧无虑、喜欢卖弄两下子打狗棍法的当代潘安！他是姑娘的大宝贝，他是少妇的小玩偶！王媛媛像花痴一样整天围着他转。我们纷纷猜测这家伙要去挑逗国际象棋队的柏芸。毕竟，他俩更般配嘛，活脱脱是两根牛奶雪条！谁知小白狼虚晃一枪，直取黑美人尹秋琳。他年龄与大师兄关卫海差不多，棋力比苗裕还弱，于是名正言顺地打着向我们求教的幌子，三天两头往训练室跑。棋盘上小白狼和小毛驴杀得日月无光，鬼哭神号。激烈而不精彩啊。这么个天生造化的美少年居然这么蠢，大伙很意外，又或许他并不蠢，只是不适合下围棋，也不适合读书考试。

我本以为小白狼肯定认识南园小学的魔头陆庆春，岂料他竟表情轻蔑地摇头。在街痞的世界里，没长毛的小家伙完全不足挂齿，跟一只屎壳郎并无太多区别。他小白狼可是打架不要命的凶神，是真真正正的江湖人物！不过，作为市体委食堂大师傅之子，他在我们围棋队却非常亲切友善。那一阵，与大师兄关卫海同住的鹿武韬、马毅二人越来越互相仇恨，天王老子都压不住，唯独笑容灿烂的小白狼，能把他们拉到一块儿吃饭。但即使坐在桌子两头，鹿武韬和马毅还是忍不住想痛殴对方，想朝对方脸上飞起一脚。他们死死盯视着自己宿命难逃的敌手，目光如鹰一般锋利，而且谁也不打算先转一转眼珠子。此等情境之中，他们的长相实在是难以名状！他们的五官扭曲成一个个横轴旋涡！没人关注过鹿、马二人为何积怨至如此地步，刚开始这两个家伙还一起打谱、走路、沉默，乃是主动疏远队友的孤独双子星。大概只有小白狼同情他俩无处发泄的忧愁。本来，我们英俊的编外队员有机会阻止鹿武韬和马毅的悲剧，怎奈他自己太活跃，长年麻烦缠身……不时可以看见小白狼腿上裹着石膏，手上缠着绷带，要么弄伤了股骨，要么撞折了桡骨，不一而足。在他父母眼里小白狼无异于一堆金玉其外的人形垃圾，但在许多姑娘眼里，他是北齐美男子高长恭与犹太美男子大卫的神奇合体。这哥们儿能打啊！不仅能打，还能折腾摩托车！想到他修理摩托车而沾满机油的修长十指，在尹秋琳身上乱摸，摘取青涩、鲜嫩的果实，想到他脱掉女孩的衣服，灵巧的手法使她颤抖不已，在热乎乎的房间内一阵发冷一阵发烫，几乎滴下巧克力色的黏稠汁水……想到这些场景，想到姑娘湿答答的花蕊，我又羡又恨。可是小白狼讨人喜欢呀。欢乐的小伙子！讲下流故事的高手！巧舌如簧的采花大盗！连大师兄关卫海都抛开芥蒂，压住烧心的妒火，同他勾肩搭背去浴房冲澡。连教头吴照聪和黄材晋都不由张开双臂，欢迎他常来玩耍，顺便传播传播市体委各个角落发生的丑闻以及笑料。至于领队盛大伦，则一贯以政治工作者的高度，对闯入他权力地盘的流氓分子时刻提防，全天候无死角地严密监视这个年轻人的一举一动。有一回，刚过完中秋节，快活的小白狼灌了大量生啤酒，坐摩托颠到膀胱破裂，跌下车座又摔得鼻梁塌陷，当晚我们还跑去医院探望他，跟他那些胳膊上布满刺青的好兄弟彼此点头致意……

棋队中唯一无视小白狼的孩子是唐克克。最近，我们歪嘴的头号选手一天比一天神色严峻，他使劲地集中精力，他横下一条心要冲击当年的职业初段资格，为此必须把好端端的一张脸变作冷屁股，给嘴巴加条拉链，套上眼罩，再用火蜡堵住耳孔，总之搞得像一具木乃伊，或者铁面王子，或者科学怪人弗兰肯斯坦，反正是诸如此类的邪神野鬼……这混蛋够狠啊，他岂止不搭理小白狼，他不搭理任何无关男女，他已独自做完《发阳论》[1]最难的部分。啊，我们的差距何啻天壤！……唐克克听说，旧省城花费重金从郑州请来一位职业七段当棋队主教练，便毫不迟疑地乘火车北上，跑去拜师学艺。七段！俨然是从紫微仙界下至凡间的强力神使，唐克克在此公面前狗屁不如！他非得立即动身，刻不容缓！他无法阻挡，他火烧屁股，堪比一群受惊的蛮牛！去吧，去跟盘踞在旧省城的刘青霖、邹骏捷见面，组合成三巨头！他们气度不凡的脑颅骨可嵌于万仞

---

[1] 围棋死活中最高的经典著作，成书于1713年，由日本著名棋家桑原道节编著，后来成为专业棋手必修的教材。

高山之上，与风化的巉岩怪石相媲美……我原本要与唐克克同行，但很不走运，大人们经过好几轮认真讨论，决定让我先缓一缓，至少等到这学期结束，再动身不迟。

于是乎，我不得不首先应付讨厌的期末考试。于是乎，我不得不仰仗中队长闫文静和副中队长雷蓓那似有似无的鼻息！含泪签了那份城下之盟吧，让姓阎王的小姑奶奶来给我补课吧，来吧！闫文静的名号，居然让小白狼也觉得如雷贯耳。是啊，市体委家属区的女士们，从七岁到四十七岁，哪·个他不了如指掌？闫文静，不甘于人下的骁勇女将，必然要在本省的社会攀爬史上留下浓墨重彩的一笔。所以小白狼忌惮她不足为奇！这类女子若切实联手，不难给予男权金字塔致命的打击，可惜她们一个个都在盘算着建造属于自己的金字塔。为此小白狼极其罕见地警告我，切勿贪色轻敌。那小妞绝不能招惹！你将尝到皮鞭的火辣疼痛！嗖嗖嗖，啪啪啪！皮开肉绽啊！腹股沟血花点点！我敬重小白狼，我使劲点头，心中却不以为然：本人并非无知的牲畜，岂会任由女孩子欺压、凌辱？开什么玩笑！说到底，她又不是真正的举重选手，何必疑神疑鬼，自己吓自己？……事实证明，我丝毫没有领悟小白狼这番言辞的深意。

既然要补课，我与闫文静商定，周三晚上我去她家，周五晚上她去我宿舍，礼尚往来。姑娘住在体操馆斜对面，住在西侧一楼。她家阳台外头是个小菜园，木板和铁线拼凑成的围栏上，有一扇活动栅子，可通往冷冷清清的红土网球场、终日晃悠着几个老汉的门球场，以及杂芜丛生的陌生地域。六七月间，荒草疯长至一人多高，刮风时波翻浪滚，很是壮观，很是狂野……

夏末，大雨倾盆而下，持续数周。八月十日，立秋节气的第一个星期五下午，我看见一道水桶粗细的闪电砸在足球场正中央，轰隆一声巨响，随即腾起一小绺青烟。黄昏时，亮晃晃的龙卷风横扫街道，屋瓦乱飞，升向无限苍穹。游手好闲的小白狼冲进我们宿舍，找人跟他玩扑克。训练结束啦？来来来，打拖拉机！有赌不为输啊！赌奸赌滑不赌诈啊！……除了杨小贱、鹿武韬和胖妞王媛媛等人响应，汪立国也举双手赞成，这孩子对小白狼崇拜得五体投地，极力讨好他，刻意模仿他愉快的神态、他说话的腔调，以及他潇洒的一姿一势。我们的麻团脸还高高兴兴喝下小白狼专门为其炮制的各色迷魂汤，例如接受这家伙动机不良的建议，将大量啫喱水喷涂在头上，以致硬邦邦的发型扎得死狗……可惜我无法参加牌局，因为闫文静随时会来，揣着老师们布置的作业，外加今天要往本人脑子里装填的大量补课内容。窗玻璃上，挂满了弯弯曲曲的雨水条痕，它们拽着阴晦的天空，使之不断沉降……楼下单车棚内，吴教练五岁的儿子佳佳正在闲荡，腿上和屁股上全是紫癜爆发留下的疤疤。他喜欢摧花折树，喜欢把抓到的蚱蜢塞进易拉罐，烧蜡烛烤死，再送给小齿裕吃。佳佳养过白壁虎，还养过毛毛虫。他说话时眼珠乱转，鼻子乱抽，脸上的两团肉乱颤。他耳朵很长，耳垂的形状很怪异，像两个死结。他掌握的生理知识大大超越同龄人水准，对脱肛尤其懂得多，这是因为吴教练当过医生，来棋队之前一直在江南区皮鞋厂的诊所上班。佳佳是个讨厌鬼，喜欢扒人裤子，他突施冷箭，让你猝不及防……石棉瓦车棚下，小家伙到处乱钻，脑袋不慎夹在铁栏杆间，进退两难，杀猪般又喊又叫。许多人闻声赶去救援，见状纷纷称奇，这五岁小男孩的头颅之大，简直前所未见。吴教练急忙弄来些机油，滴到儿子脑袋和生锈铁条的结合处，然后使劲把他往外拽。佳佳哭得要死。所幸，他脑袋不仅大，还颇有弹性，只受了点儿看似惨烈的皮外伤……

那个星期，闫文静的情绪明显异常，忽而高兴，忽而不高兴，切换殊为迅疾，令你手足无措。看来这姑娘也在猛烈发育。她一跨进我宿舍，同屋的其他人纷纷躲闪，汪立国去隔壁玩牌，苗裕去楼下训练室跟大师兄关卫海打谱。我们并排坐在床边，书本摆在一张又高又窄的掀盖课桌上。这张桌子上上下下满是蛀洞，木头正一点一点化为浅黄粉末。我不能容忍可恨的小虫子将本人的财产当作美餐，我仔仔细细抠出所有粉末，把五颜六色的滚烫蜡油滴入裂缝与孔隙之中。下地狱吧，蠹物！灭绝吧，魑魅魍魉！你们这群臭狗屎，罪大恶极，不可饶恕！我想象那些讨厌的蛀虫在岩浆巨流中挣扎毙命，烧得嗞嗞作响，感到万分痛快。我用刀片刮掉溢出的熔蜡，使桌面看上去平整如新，乃至晶莹剔透。闫文静见证了本人非凡的战果，同意我下次去她家照葫芦画瓢，给一只老旧的五斗柜滴蜡防蛀。好啊，来一场轰轰烈烈的杀虫运动！相比之下，补课很败兴，很没劲……日光灯投下一深一浅两重影子，把宿舍里嘶嘶作响的空气分割成好几块，也照得地板支离破碎。我埋头做题时，闫文静因无聊而东张西望，注意到黄材晋贴在我床前的书法帖子："所志不出一枰之上，所务不过方罫之间。"姑娘问我，正数第六个字是什么意思，倒数第三个字又是什么意思。我告诉她，前者指棋盘，后者大约指棋盘上的方格子，古人爱讲究，非要用不同字眼表示差不多同一种东西……闫文静盯着我身旁那些该死的隶书字，把小脑袋搁在我肩膀上，她下巴很尖，我肩膀很瘦，很不舒服，但我还顶得住。突然间，她在我脸上摸了一下。我身体一抖犹如尿震！我跳起便走，奔出门外……

旧省城，拥有牛皮吹上天的风景名胜，拥有当年周总理指示栽种的无数凤尾竹，市区内外，遍布奇峰怪石。此地的居民三句不离一个卵字，如果少了这个前缀式伟大汉字，这个沉甸甸的脏字，如果不卵、卵、卵地说话，他们基本上无法传情达意，以致变相失语，张嘴成哑巴的尴尬情形将遍地开花。卵人！卵事！卵天！卵命！……旧省城，你一如既往，像条瞎眼老狗在尘寰间漫游！你根本赶不上时代的步伐，你气喘吁吁，你胡乱生长，于是满身脓疮！……十二岁以前，我频频造访该市，趟数之多，时间之长，致使本人的旧省城方言在那几年极为流利，并且，与天生阴郁而善妒的当地居民一样，开口闭口全是卵、卵、卵……

我即将第一次离家超过三个月，这让素来镇定的母亲也大为惊骇。你才九岁，才刚刚断奶，才刚刚不尿床！……实际上，永远无法向她表明，我已经走过多少路。别说九岁，即便十九岁、三十九岁，甚至九十九岁，大概也于事无补。她完全听不进去！她完全听不懂！有时候她假装听懂，好让我冷静下来，仿佛在安抚咿呀乱嚷的男婴……

我们的母子关系不可能改善。从无改善一说。当然，如果我还年轻气盛，没准儿会继续刺激她，同时想方设法要她承认，我肯定可以闯出一番名堂。犯不着啊！何必跟自己的老娘较劲？……她督促我好好工作，劝我不要惹恼上司，丢掉饭碗。她生怕我穷困潦倒，露宿街头，更怕我锒铛入狱，遭人殴打。她假设过种种惨状，恳请我勿使噩梦成真。她离我十万八千里远！她小市民的无线电波从遥远的南方源源不绝射来，好比洪水猛兽，几无间歇！她并不要求我承欢膝下，她十年如一日劝我报考公务员，旱涝保收。她最不愿听到我炒老板鱿鱼。她巴望我娶个市长的女儿！明知我脑后有反骨，却屡屡言语相逼！啊！啊！还让不让人活？她唯恐我得自遗传的小市民性格仍不够明显，担心我继承自父母的小资产阶级烙印仍不够深重。必须一劳永逸地粉碎她庸劣、鄙俗的规划！母亲，你目光短浅，急功近利，你一生躲在自己的小圈子里坐井观天，那是不容争辩的事实，是无可避讳的疾症。你这样的妇人根本不值得我浪费唇舌……

那年夏天，街市动荡，聂棋圣在应氏杯决赛中折戟，据说败因是对手曹薰铉的脚丫子臭到令他缺氧，导致计算出错，下了两步昏招，故而痛失冠军头衔以及四十万美元的奖金……四十万美元啊，天文数字，我父亲一个月工资也就一百多块人民币。想想看，曹薰铉的脚丫子得有多臭，聂棋圣才会输掉这四十万美元，惊世骇俗的四十万美元。

　　北上旧省城前一天，我听从母亲指令，老老实实去了趟华东路的外公家……当时期末考试已经结束，散学典礼尚未举行，闫文静的成绩位列全年级之首，而本人运气不错，好歹顺利过关。她再也没有来帮我补课。只剩下雷蓓还隔三岔五往棋队跑。副班长是个好人呀！那么乖巧懂事的孩子你打着灯笼都找不着！虽然我喜欢举重队的姑娘，喜欢韦鲜花这类女大力士，但如果少了我们副班长，江河必将断流，陆地必将沉陷……雷蓓说，由于我一直在跟陆庆春瞎混，屡教不改，闫文静很恼火，很失望，很痛心。这当然是班长大人的托词，有些气泡不应该戳破……其实，我对自己八月十日晚上的反应也相当意外。为何偏偏在那一刻打尿震？鬼使神差啊！时也命也运也！解释不清，干脆不再解释……如今我走进教室，无论做什么，闫文静一概视而不见。她天天给陆庆春调座位，让他像盲流一样持续迁移，又无处落脚。可是，妄图限制肥仔的活动，岂非痴人说梦？只要不是班主任罗韶芬上语文课，霸王陆庆春想坐哪儿就坐哪儿，想坐谁旁边就谁坐旁边，连个滚字都不必说。我也经常跟死肥仔周围的同学换位置，他们求之不得，争相自荐……

　　行前让我去趟华东路的外公家，不知母亲又在虚构什么胡七乱八的噩梦？外公操着一口老派的省城白话，整日躺在一张油黑、光滑的摇椅上，嘴巴微微张开，似乎久远回忆的寒气正从内往外蔓延，将他冻住。我是老人年龄最小的外孙。每次见面，他从来不忘记给我几毛钱，去买一小袋酸酸甜甜的无花果丝，或者一小包香脆的鱼皮花生豆。解放前，外公是一家棺材行的襄理。他对死亡很熟悉。他靠死亡养育儿女。死亡早已潜入他生命本质深处……老人的屋子终年不见阳光，淡淡的霉味弥漫其间，角落里摆着外婆的灵位，木牌上镶嵌有一张岁深月久、发黄泛褐的椭圆形黑白照片，向儿孙辈呈现一副陌生的妇人面孔，瘦削，冰冷，毫无笑容，皱纹虽少，却堆积了太多世道艰辛。

外公一看见我，立即掀开床头的百宝箱，抓出一捧他珍藏的神秘糖果，递到我眼前。

"风仔，试一试呀，"老人的眸子，犹如龙眼核，散发着他那张摇椅一样的黑色油光，"奇好吃，奇好吃！……"很多时候，我感到非常满足。

事隔多年，父亲在某天晚上告诉我，外公是说"极好吃"，只因脱牙漏风，才导致发音不准。男人这番节外生枝的讲解，让我记忆中朦朦胧胧的美好场景眨眼间光晕全无。

华东路的旧宅结构古怪。四层小楼，临街的屋子最规整，照例租给别人当店铺，多年来一直在销售水泥、瓷砖、各类钢管，以及厕所马桶等建材。穿过铺面，走进一条窄廊，等到光线由暗转亮，来访者会发现，他们已经站在我外公的房间外，而老头子正僵卧于三尺斗室的阴暗处，不声不响透过灰蒙蒙的窗户实施观察……诡异啊，骇人啊！这算什么待客之道？……再往前是一个小得不能再小的天井，挤满了洗手池、遍生苔藓的假山石头，还有几棵不论天冷天热一概枯黄半死的盆栽植物。接下来，便是客厅，它永远无辜地敞开着，无门无窗，能摆下一张大餐桌，外加一张孩子们专用的小圆案……哦，往昔的家族议事堂，装着一台老吊扇的血缘中枢！多少次高朋满座，老幼齐聚，犹如过眼云烟！……我舅舅，外公唯一的儿子，众星捧月的陈家独苗，既是一位深度近视的精神病医生，又是一名业余画家，他为自己的得意之作装上精美的木框，挂在房屋四壁，供大伙欣赏。客厅墙头还悬着一副蒙以蛇皮的三弦，琴柱间积了不少灰尘，从来没有人取下弹拨。客厅背后，是个露天鸡窝，连接着半开放的厨房，以及整栋宅子独此一处的狭小粪坑……

长辈们在客厅高谈阔论，我跑上三楼，钻进舅舅的卧室看连环画公仔书。什么《黄巢》、《闯王》、《陈玉成》、《瓦岗寨》、《岳飞传》、《信陵君救赵》……我一册接一册翻开，我过目不忘，对故事情节烂熟于胸。这些个正义凛然、血流成河的公仔书，复活了诸多视人命如草芥的古代英雄，他们浓眉大眼，不近女色，不爱钱财，他们将一长串冰糖葫芦似的劲敌斩于马下，伴我度过了无比同情且钦佩农民暴动的童年时光……我表哥，舅舅的独生子，处于青春叛逆期的高考补习生，满脸痘疮，躲在四楼的铁皮屋子里，断绝与外界的联系，所有联系……如今我们相安无事，我们因为曾经的共同生活而彼此嫌恶。我是个坏小孩啊！非得跟他争什么电视频道。当初我根本不理解他悲苦到何种程度……

外公向每一个孩子抱怨天冷，即使在溽夏伏暑时节，他依然穿着灯芯绒长裤。老人常哀叹，他八成活不到我中学毕业。母亲和诸位姨妈却说，从外公第一次对他年龄最大的孙辈讲这句话，已经过去了不止三十年。然而，正所谓人老精，鬼老灵！外公的预言并未落空！他归西前几日，潜伏于一代代陈家男子体内的癫狂基因激活了……邪门啊，老人在送终病房的床铺上不停做仰卧起坐！那两天他身体是多么虚弱，怎堪承受如此不要命的仰卧起坐！啊，阴毒的仰卧起坐，吃人不吐骨头的仰卧起坐！……外公吹灯拔蜡了，他闭眼时全身脱水，躯体枯瘦，仿佛死于严重的营养不良，仿佛半个世纪之前那场饥荒给他造成了毁灭性打击，但他一直拖到今天才终于咽气。

因为一场官司，舅舅卖掉了华东路旧宅，搬进了社会福利院的静谧家属区。那里偏僻啊，大树连片，荒无人烟。而法律攻防在原本共处一个屋檐下的亲友之间展开。这是一次大跃进式的诉讼狂欢。外公的女儿女婿们纷纷加入战团，母亲和诸位姨妈火急火燎地上蹿下跳，轮番登场，动用全部关系和人脉帮助舅舅。哦，牛皮糖般劲道十足的家族意识！她们把舅舅当宝贝。她们布下群雌粥粥的天罡北斗阵。她们到底是打官司还是办酒席？

　　判决结果应该说皆大欢喜，只有我外公深受伤害。搬家后，再也没有那么一间处于阴阳交错地带的屋子，供他栖息，供他收藏奇异的糖果，方便他穿梭往返于人鬼两界。所以，外公很快去了他更喜欢的那一界……

没想到，北上旧省城前夕的华东路之行，竟然是我最后一次造访外公的老宅子。他年龄悬殊的众多外孙从此流落各方，再也不曾齐聚一堂。四层老楼的顶部，有个橘红色方砖铺设的宽敞天台，视野十分开阔。它周围的景致、云端复杂万状的光影色彩，以及在街区上空无拘无束漫步的幻觉，至今还时常进入我遥不可期的梦境。这个天台从未搭设任何网线，从不晾晒任何物件，是表兄弟们放风筝、放烟花的理想场所。春天，蒙蒙细雨笼罩着城市，我居高临下，目睹一辆又一辆公共汽车间隔有序地停在老宅的大门外，并接连驶向十字街头。那儿已属于我活动范围的边界，再过去，便是华西路、衡阳路，乃至更多虚无缥缈、徒有其名的街道。终点站为西郊动物园。由于它离市区太远，假如坐车去春游秋游，往返途中难免要呕上个三五回。那时候，学校租用的大巴分明是一长溜装上轱辘的破铁盒，孩子们透过生锈的底板，可以看见朝后方飞速流逝的水泥路面……

等到我从旧省城归来，外公一家已迁入社会福利院的家属区。老头子一天天衰朽下去，而身为精神病医师的舅舅也日益走上他那发疯的曲折单行道，渐行渐远……从我第一个本命年开始，男人就越来越不正常，频繁跟外甥们讲外语。当初，给他开小灶的英文老师是一位印尼华侨，舅舅向此公学了一口南洋腔。又因为他还上过好几年俄文课，所以言谈间始终保留着浓重的苏联韵味。

"浪立吾雀尔面茂！浪浪立吾雀尔面茂！……"

舅舅的唾沫喷到我脸上。他戴着厚如瓶底的特殊近视镜，眼神狂悖。他俄式英语的发音令外甥们叹服不已。

我第二个本命年到来时，舅舅已数次将祖传的金项链挂到陌生人的脖子上，并拿着民国早期的广东毫银去街边买彩票……啊，我可怜的亲娘舅！看看无情的光阴把你糟蹋成什么鬼样子！年轻时，他多才多艺，风流倜傥。他是根深叶茂的陈氏家族的明星啊！多少个晚风习习的凉爽夏夜，他兴之所至，便高唱一曲《美丽的梭罗河》，他自弹自唱，他琴声悠扬……哦，舅舅！你性子温吞，你曾经在这降水丰沛的世间快乐生活，正如歌词所写：

　　旱季来临，你轻轻流淌，雨季时波涛滚滚，你流向远方……

乘坐特快列车，全程八九个小时，钻过十六七个隧洞，我跟随主教练吴照聪抵达旧省城。吴教头生于斯长于斯，因此也习惯卵、卵、卵地说话……古老的小城坐落于一片广袤的喀斯特地形边缘，突兀的石峰驳错分布在市区之中，好像一张硬饼上隆起的鼓包，好像千百万年前冷却凝固的众多怪梦。它们是巨大的天然空调，冬暖夏凉，造福山脚下世代居住的男男女女。不过，即便如此，旧省城的气候依然很恶劣，有时冷似冰窖，有时热似火炉。历史上，从北方远道而来的王师往往止步于该城，坚守不出，将南方的辽阔地域留给土司、酋长、寨老、头人等等百越各族的首领们去折腾。所以这里是文明的开端和野蛮的终结。我将在此一次次挑战可恶的四眼刘青霖、奸诈的栗子头邹骏捷，尝试打败他们，尽管机会渺茫；我将在此与唐克克重聚，同往电子游戏厅再叙兄弟之谊……

旧省城少年围棋队的主教练姓姬，是个唇红齿白、双目炯炯、身材微胖的河南汉子，形如一只脑袋圆钝的大夜鸮。他可不简单，堂堂职业七段！神明般难以企及的高度！三个月时间，姬老师跟我下过五六盘指导棋。我似乎走进了一座铁打的漆黑迷宫，撞得头破血流，摔得遍体鳞伤，却无丝毫益处。训练室里到处摆放着购自宝岛台湾的围棋杂志，题写刊名者落款李登辉。想不到哇，台湾那伙臭棋篓子居然有外观如此精美、内容如此丰富的出版物可供学习！他妈的，纸质极佳，令人爱不释手！不过，上面的竖排繁体字很恐怖，我从来不读，宁可盯着印有序号的黑子白子乱摆一气。姬老师也常常挑选一两本这样的杂志，让少年们看他打谱，此时他高深莫测的神情总在变化，几近故弄玄虚，他肉乎乎的小手来回翻转，所蕴藏的威力不可估量……两年后，我远赴郑州，才知道这其实是河南队教头冯先进老师的训练方法。我喜欢看他们打谱，不论是眼前的姬老师，还是姬老师的老师冯老师，大凡高手摆棋、讲棋，我在一旁便格外放松，那是彻底的放松，是一泻如注的放松，是魂不附体的放松……然而三巨头即使在研究棋谱时，依旧吵得不可开交，他们过剩的荷尔蒙无处发泄，满脑子输赢，忍受着胜负思想的酷烈灼烧。姬老师说，看别人打谱也能够长棋，甚至最容易长棋……所谓长棋，并非指棋形之长短，而是与长高类似，指棋艺提升。但长棋这个说法更专业，更地道，使你联想到厚积薄发，联想到大陆板块的造山运动，仿佛长棋者不仅高度增加了，连体积也相应变大，而且手脚变粗，肌肉变硬。长棋者犹如充气的飞艇，即将横越浩瀚无边的海洋，奔向一片乐土，赢得丰厚的回报和闪光的荣誉！……唉，我想入非非，我胡说八道，但没个鸟用啊，不是吗？自从阿阮离队以来，我对围棋的厌烦日甚一日，我精神涣散，计算力每况愈下。烦人啊！这种半死不活的状态天晓得还要持续多久。

在旧省城的体委招待所，我生平第一次触摸漏电的插座，差点儿命丧他乡……行李箱里那几条有些年头的三角内裤，已太过窄小，严重影响我发育。从始至终，本人对三角内裤相当反感，这份根深蒂固的反感，无疑是旧省城生活的隐秘后遗症。我在阴沉沉的街道上专心发育，目不斜视，体会三角内裤那近乎摧残人性的痛苦。我不受管束的灵魂越来越疯狂，我羞于外露的人格越来越变态……我不舍昼夜地追看一部名叫《金剑雕翎》的武侠电视剧。男主角长得像个憨瓜，天天坐着一只纸糊的大鸟飞过来飞过去，可是两位女主角偏偏钟情于他，非他不嫁，其中那个冷若冰霜的白衣女侠时常要遭受歹人暗算，总是直梗梗地躺在山洞或者破庙里，等待她骑大鸟的憨瓜情郎赶来搭救。她豁出性命，甘当鱼饵，好让男主角的头号跟屁虫、自诩体贴温柔的青衣女侠醋意大发……深刻啊，真是一部启迪智慧的哲理片，也是导致我染上恐女症的罪魁祸首！仔细看完这几十集古装电视剧，本人走出了愚昧无知的洞穴，开始警惕招待所服务员的奇特目光。她们存心不良地戏弄我，取笑我，突然闯进房间来打扫卫生，实际上醉翁之意不在酒。她们走路扭屁股的幅度极其夸张！她们在两栋楼房之间的空地上晾晒床单、被套，同时晾晒自己的内衣、裤袜。我害怕这些无法无天的姐姐。她们仅仅在表面上当我是个小孩，她们对本人日新月异的发育程度一清二楚……走过一间间客房，不时会发现，某个女服务员正站在窗帘后面盯着我。炎热的夜晚，这些大姑娘冲出自己的屋子，向我扑来，不由分说把我拽走，给我剥柚子吃，请我帮忙挠一挠她们奇痒难忍的身体各部位……

除了唐克克、刘青霖、邹骏捷这三座大山，另外几个人也不让我好过。有一对嘴巴上长满了粗大软须的孪生兄弟，莫小龙和莫小虎，他俩下棋，往往下着下着突然互换黑白，然后若无其事地继续落子。我从这对双胞胎身上觉察到某种非人的东西，某种锡兵、玩具熊或者俄罗斯套娃的惊悚意味。他俩穿着一模一样的衣服，视彼此为替身，终日形影不离，相效相仿，好像每时每刻都在照镜子。说实话，双胞胎跟我们的差异很显著，几乎不是同一类生物，这些家伙的思维活动非常之诡谲、怪诞，令人毛骨悚然！比如姓莫的龙兄虎弟，他俩分享世上的一切，其程度胜过古往今来所有亲密无间的伴侣，远超最狂妄、最激进的共产主义理想。跟其中一人谈恋爱，便等于跟两人谈恋爱。反之亦然。莫氏兄弟打个电子游戏也要换来换去。他们只精通一件事情：换来换去，换来换去！……哦，相濡以沫……真他娘恶心啊，魔鬼双生子那黑暗海面下无从想象、不堪入目的生活细节！我对他们敬而远之，我假装比他们还要木讷一千倍一万倍……

旧省城棋队有两名女棋手。年纪大的那个，堪称十足的贱货，已经病入膏肓，不提也罢。年纪小的那个，与唐克克同姓，整天一副睡不醒的死相，似乎满腔哀怨。我感觉与她心意相通，因为她肯定也讨厌下围棋。但这姑娘又很像阿阮，特别迟钝，特别笨拙。刘青霖经常拍打她大而无当的扁卵形脑袋，拍得乒乒作响，听着让人缩脖子。

"哎，你打我干吗呀？"

"我就打你，"刘青霖根本不停手，"我就打你怎样？……"

姑娘抱头逃走，窘状令刘青霖哈哈大笑。"唐飞飞，快飞！飞去捉屎虫！……"

我没法帮她报仇，不仅没法帮她报仇，训练赛遇到她更是毫不留情。除了那个无可救药的贱货，唐飞飞是我最稳妥、最牢靠的垫背。我喜欢跟她下棋啊！我一眼将小姑娘悲凉的身世洞穿：是父母逼她走进围棋队这个死胡同！天良丧尽呀！试问她如何在角斗场似的定段赛上出线？唐飞飞，你跟我一样注定是炮灰……

为了唐飞飞，姬老师痛斥过刘青霖和邹骏捷，也骂过唐克克和孪生兄弟，他让我们好好向小姑娘学习，学习她百折不挠，学习她屡败屡战。本省三巨头以及姓莫的双胞胎低头不语，大约是在偷笑。我们做梦也想不到小姑娘将来的传奇战绩。虽然，唐飞飞终归躲不过全国定段赛那一轮又一轮的残酷淘汰，如同她一直躲不过刘青霖那平白无故的猛烈拍打，可是姑娘在某个没人注意的时刻悄然苏醒了，两只小眼睛破天荒头一遭完全睁开了！她顾不上找份工作，顾不上谈婚论嫁，于本世纪初几度奔赴郑州，求教于冯先进老师，发奋吸取棋艺的浓浊汤汁。谁见识过如此锲而不舍的傻瓜？汝之不惠甚矣！……那阵子我大学刚毕业，正起早贪黑颠仆于职场，夜间玩命写作，头悬梁锥刺股，闻尿骚啜浓茶，我写啊，写啊，用一行行文字将所有仇敌冤家和卑鄙小人都奂了个遍。而昔日的少年巨灵神之中，唯有邹骏捷在棋坛上昙花一现，很快也落入不可逆转的沉沦境地……毫无疑问，唐飞飞两年前便已超龄，没有资格再参加定段赛，但是，倔强的姑娘制订了一个异常大胆的翻盘计划！惊人啊，豪情万丈的翻盘计划，斗志昂扬的翻盘计划，使这名扁卵形脑袋的女子开始第二次发育！她在愚钝外表的掩护下陡然虎变！该计划从姑娘心底涌现时，我敢打赌，她一定震惊得脸色发青，又激动得好几个晚上难以入睡：如此狂妄的计划，连她自己都怕呀！没错，唐飞飞要从岁数和性别的夹缝里杀出一条血路！她茅塞顿开，她焕然一新，并仰赖老教头冯先进的指导而进步神速！姑娘在一场场城际围棋擂台赛中崭露头角，又以业余选手的身份投入乙级联赛的征战，她十年磨一剑，她吹尽狂沙始到金！……终于，唐飞飞获得一张全国女子个人赛的入场券，宝贵的入场券啊，钻石般闪闪发光！姑娘开足马力，猛冲猛撞，打得那些高高在上的职业棋士们措手不及！瞧哇，她首先拿河南队的梁大美女祭旗，堂堂正正将她击败！已嫁作人妇的梁大美女溃不成军！已嫁作人妇的梁大美女呆若木鸡！史诗般的胜利！此后姑娘连战连捷，势如破竹，竟一举夺得冠军，大爆冷门。而根据国家棋院的规定，闯入前三名的业余选手，可获专业段位。壮哉我唐飞飞！你不可思议地激活了这一僵尸条款，实现了夙愿，成为令人又羡又惧的职业棋手！时至今日，她仍在大大小小的各种比赛中拼杀，她老而弥坚……

我身边迸发的奇迹闪光，无论它们是来源于旧省城的唐飞飞，还是来源于河南开封府的王姓神童，似乎都不含任何热度，仅仅将我乏善可陈的现实照亮片刻，让我自惭形秽片刻，旋即又回归黑暗，重新陷于未知的迷茫。

　　在三个月集训的末期，我已经近乎野兽化。风从南方吹来。肥美的花鹦掠过电线杆、灌木丛，以及旧省城普遍低矮的房顶。我常到工人文化宫里散步，唐克克偶尔跟我一块儿去，更多时候是我独去。那儿有一株奇异的圆柏，传说栽植于乾隆年间，它最大的丫杈上居然还生长着一棵小臭椿。工人文化宫内外开了几家电子游戏室。我在里面挨过一次抢、两三次偷。那伙将电子游戏室当作据点的小流氓们十分诧异，想不通我为什么反复前来送死，以为我是个神经病……重阳节过后，旧省城钻蓝色的晴空几度使我失去时间感……我走进自己的寂静，沉湎于寂静，徜翔于世界之上。孤僻的病毒在我内体增殖。我走啊走啊，渴望融入迥远的天际。这样的日子不可能再有啊！但是，假如我心跳停止，它会否驻留？十月末的傍晚，我在年代久远的王城里乱晃，身边尽是古榕、旧砖、老藤、朽柱……我脑海中枯槁的想象力屡经催发，正隐隐萌蘖，企图复生。日轮朝西方下坠，大约是不情愿就此沦亡，便在苍穹间燃起短促而狂烈的大火……我有一股无法遏制的冲动，要钻进树丛，蹲伏于密密沉沉的宁谧深处，暗中观察尘世的炎凉百态，而阴影逐渐变浓，让白色从万事万物的皱褶里析出……在林子边缘，红松鸦受到我无礼的惊扰，纷纷振翅飞上光线紊乱的暮空，滑向夕阳与落霞。这些鲜艳夺目的小鸟越过城垣，穿过街灯尚未点亮的昏黑市镇，如同利剪，把浑厚的秋意裁开……整座乾坤俨然已灵魂出窍，云顶一派绚烂，引得街头的行人相继抬首，好似在仰望天堂的幸福。某一刻，男女老幼的须发皆呈枯草色，面容空洞而发暗。从他们脸上，仿佛可以看到一场冷血的城市暴乱在疾速传播，大举蔓延……最终，我走出树林，返回工人文化宫的水泥路面，撞见莫小龙莫小虎两兄弟在绕圈慢跑，他们的动作如机器人般同步，他们的神韵如双头怪般协调。几十年后，我阅读一部名为《暹罗连体人之谜》的推理小说时，还屡屡回想起生活在旧省城的莫氏双胞胎……晚空归于沉寂，只剩三五道紫纹横亘于地平线上，直到天幕完全黑下来，才消失不见……

月亮宛若一杯香槟汽水，泛着气泡的光泽。传闻这款含酒精的饮料喝多了能要人命，可是我一点儿也不相信，将别人的劝告当成耳旁风，照样买回来自斟自饮。夜间，我醉意蒙眬，逐渐把棋盘上五花八门的布局、定式、手筋，把窄小内裤的残忍折磨，把阿阮、黄材晋、韦鲜花、尹秋琳、陆庆春、闫文静，把我惯做缩头乌龟的父亲母亲，把快要发疯的外公和已经发疯的舅舅，把昨天、今天和明天，把繁杂近物和苍茫远景，把市体校、南园小学和京剧团大院，把欢欣、愁苦、荣耀、羞耻，把上述一切组成的人间海洋，统统抛诸脑后，忘了个一干二净。我只能透过香槟汽水的空瓶底去观望前路！除此之外，没有更好或更容易的办法。

回到自己的城市，我痛苦难言，犹如迫于饥寒而低头驯服的野马。母亲非要留我在家多住几天，还拽我去看中医，求中药，说是治一治我身体歪斜的顽疾……铁道口旁边的妙春堂内，有一位打扮不伦不类的胖长者，蓄着两绺八字胡，梳着个混元髻，挂着条姜黄色褡裢，永远守在脏兮兮的帘子后头，静待各色疑难杂症送上门来。他给本人号脉，按摩，针灸，诊断我全身上下的什么奇恒之腑受邪气入侵，影响神志，必须好好调理。母亲在一旁随声附和。妈妈，住口吧，别不懂装懂啊！可这下子胖郎中却来劲了。他决定救我一命，非要收我为徒，向我传授强身健体之术。他以难度极大的标准动作将一套五禽操轻松演示了两遍，并讲解了要领，叮嘱我多多练习。据说该长者还会缩阳入腹……

然而，我没法在家里待下去。且不说我已经习惯住宿舍，也不说我讨厌父母教训人的臭架子，单说楼下那个神经衰弱的老头，就足以让你狂躁症发作。趿着拖鞋走路，或失手掉落一根圆珠笔，甚至坐着放一通响屁，无论我做什么，他一律听得见。这个老不死的东西当真下作啊！他白天上操场舞红缨枪，夜间失眠，整晚躲在床底下盘算着大清早跑我们家来砸门，不整死我们绝不收兵！他还拿晾衣竿戳天花板！妈了个屄的，吃错药的老狗！赶紧坐上土飞机回你姥姥家喝稀粥去吧！赶紧烧成灰！但是，好人不长命，祸害活千年！如今我快四十了，老头竟然仍没有嗝屁……或许他已经把自己彻彻底底熬煮过，鞣制过，已经炼成不死之身？他可以像声呐一样洞悉我们家所有人的一举一动，我们在他恬不知耻的听觉系统面前统统是裸体。他史前人类的敏锐感应力岂能说破就破？老头子戳着我们的脊梁骨骂个没完。他污言秽语，脏话连篇，他丧心病狂，他用一张嘴巴掘你祖坟。不堪入耳啊！气得我父亲怒目切齿，又不敢发作，他那张习惯于浮现恭谦笑容而微肿的由字脸一阵青一阵白。惨啊，威风扫地的一家之主！他脑门越来越亮，脖梗子越来越红，你们瞧瞧这男人已经被羞辱成什么鸟样！我哥哥火冒三丈，要冲出去将老头子锯成两段，毁尸灭迹。还好母亲死死抱住他，没让他原本稀少的血性突然爆炸……

本人在大院里乱窜时，经常看见该老头冲我咧嘴笑，下巴颏上似乎还粘着些墓穴深处的泥土，又湿又臭。真个是白日撞鬼！

当年，京剧团家属楼周围空旷而诡怪，成天回荡着找寻我母亲去处理琐事杂务的呼唤。"阿华！阿华！"万千树叶也随之哗哗作响。"阿华！阿华！"如确有紧急情况，他们会改一改称谓，使劲大吼："爱华！爱华！"我母亲在大院的各个角落被这些声音所驱赶，她横冲直撞，忙得屁颠屁颠，以致犯了急性肾炎仍不自知……京剧团内外，到处栽种着洋金凤和美人蕉，夏天，纷繁色彩大造反的时节，蜂蝶乱舞，与孩童争食花蜜。有个外号"沙包"的小伙子，长年无所事事，也同我们一起耍闹。他右脚微跛，是个摇滚青年，诸如"金属"啊，"工业"啊之类的字眼接连从他嘴里蹦出来，令我一度以为，这哥们儿的女朋友在京剧团隔壁的冶金研究所上班……沙包希望凭自己的音乐反抗父权，拯救庸庸碌碌的大众于水深火热。可是我母亲总在揶揄他，奚落他，言辞间充满了无以复加的鄙夷轻视。"沙包，找到工作没有？"她劈脸就问。"沙包，给你爸妈交伙食费没有？"她绝不轻易饶过这名矮胖、年轻的无业游民。"沙包，什么时候吃你喜糖？"真怕沙包受不了我母亲市侩的嘴脸，发狠把她一脚踹死。积点儿阴德吧，妇人，别玩得太过火！我难以忍受母亲的尴尬问题，扭头跑开……有个在市体委练藤球的高佬，恰巧也家住京剧团大院，他忸忸怩怩的样子很好玩，像个娘们儿。"沙包，"身体颀长的藤球运动员柔声细气喊道，"快来接电话……"实际上，这是他们的日常合作模式。只要其中一人受到我母亲的纠缠骚扰，另一人便跑去解救。两名个头悬殊的青年互助多年，共同抵御我母亲那毫无意义、贪图一时爽快的歹毒进攻，直到藤球运动员发急病暴毙。而顿失庇护的沙包没过多久也离开京剧团，流入陡坡下面的人世，不知所终……

有一段时期我很想上吊。或许并不是真想上吊，只是希望找个不为人知的地方独自生活，索居闲处。但这完全不可能。后来我才知道，我其实想当艺术家，而且必须默默无闻，理应默默无闻……他妈的，我灵魂的痔疮，反复磨破，反复出血！……当艺术家不过是托词，当艺术家就可以不再跟人斗个鱼死网破……当艺术家，好好掩盖你深入骨髓的怯懦！……搞创作无须分出胜负，我不适合打打杀杀，我从事的艺术将是遗忘的艺术，而不是记忆的艺术。我想找个树洞钻进去，我想在黑暗中点颗大炮仗，压压惊！……哦，欢聚的时光。哦，无所不用其极的文学同道，你们是一帮磨牙吮血的怪兽，你们风卷残云吃个精光，你们吃相难看！世事艰难，酒酸狗猛啊！翻白眼吧！哼哼吧！吐唾沫吧！撒尿吧！使劲乱抖吧！……哦，被我扔进垃圾堆或者生吞活剥的老前辈！……姑娘呀，肤浅、愚蠢、激情四射的俏姑娘！……对我来说，不做梦又有什么意思？……长夜，窘困，卑微，诗意！……互相掐架的观念！……风，我走在炽亮的风之甬道上！……燃烧的生命，啊，我永不餍足！……

我仍能够感觉到黄材昝教练阴森森的威胁，以及他看不见的潮湿目光，他稠黑似巴麻油的爱意。这个偏执狂从不放弃，多年来一直试图联系我……他如此坚持，究竟是为什么啊？

母亲不喜欢我自作主张。问题是她屁都不懂。女人那点儿少得可怜的理解力，如何超越她日复一日、年复一年打交道的鸡毛蒜皮？你爸爸够有才华了，你爸爸的情书我到今天还留着，他除了耍耍笔杆子，还可以当个优秀的蛇医，但他认认真真上班工作，认认真真在省城教育界干出一番业绩！领导赏识他，同事们佩服他，乡下的亲戚以他为荣！你父亲在本市所有小学中学燃起了职称评定的熊熊大火。他又因此惹来了多少辱骂！我们供你读书，不是让你读书读到水里去！听大人劝一句！……哦，母亲，堪比模范的母亲，为这个家付出一切的伟大母亲，你放过儿子吧，权当你生了块砖头，拉了泡屎，眼不见心不烦啊！……然而，我好说歹说，皆属徒劳。何必再扯废话？根本没用！我们的关系最终不得不演化成一种恐怖平衡，双方谁也不敢随随便便打破，否则玉石俱焚，同归于尽……

我五岁时，每逢星期日，便渴望跟随母亲去逛街，去百货大楼周围乱转。三十几年前，在我心目中，她一度是世界上最美丽、最温柔的女人……今天看来，该印象毫无根据，但也不好说它必定虚假，毕竟那是一个亦幻亦真的神话时期，凡事不应一概而论。

我五岁时，很讨厌幼儿园，很讨厌午睡，尤其讨厌在幼儿园午睡……啊，橙色屋瓦的幼儿园，可悲透顶的幼儿园！地上爬满了甘当同龄小女孩坐骑的五岁雄性。

那一年春天，记忆开始生根。所以，此后发生的事情，或多或少在我脑子里留下了痕迹。例如，通往交易场的狭长街道上，总是可以看见一些被车轮压扁的死蛇烂蚂拐，它们招来密密麻麻的黑苍蝇，经受正午日头的暴晒，经受雨水冲刷，终将沦为薄薄的一层硬膜，紧贴于砂石路表面……在交易场，母亲通常会给我买一碗糖水，或者一根冰棍，或者一小包盐渍的杨梅。我们穿行于八角、桂皮、紫草、指天椒、肉豆蔻、罗汉果等等气息各异的干货之间……我晕乎乎地盲目绘制着自己最初的嗅觉地图……陈家三姐妹，有时是四姐妹，但从未凑足五姐妹，领着我走过大街小巷，跨过恶臭熏天的朝阳沟，走进西关路。那是一条充满了尘埃、锤子声，以及星星点点阳光的林荫道。众多铝匠铺之中，生长着几棵年迈的凤凰树，它们在民国晚期便已垂下老态龙钟的根须，千条万条伸向地面……铝匠铺生产的器物，从铝壶、铝锅到白铁澡盆一应俱全，这些铝铁制品覆盖着亮晃晃的雪花纹，令人目眩，几乎陷于晕厥。而西关路尾那座锈迹斑驳的铁桥则让我心头醉沉沉的。很久以后，本人在一册发黄的文史资料中读到如下句子："省城的特察里，最先设于西关路铁桥对面，抗战时遭到敌机轰炸焚毁，被迫改设于水上花艇……"所谓特察里，亦即红灯区，不同档次的妓馆在其间分布。当年的西关路想必热闹至极，三教九流海内宾朋纷纷涌向此地，无论是达官贵人还是贩夫走卒，悉数怀着放荡的欲念前来，携着性病和轻飘飘的躯体离去……我随母亲和诸位姨妈跨过大铁桥时，西关路已比较冷清。女人们领着我走过兴宁街、民生路，在冠生园买一块光明牌冰砖，然后沿着摆卖杂色眼镜、各类皮货的东关路一直往西，横穿人民路，便来到鱼钩状的西关路……上世纪八十年代，五岁小孩的时光无非如此：路边楼宇的影子、街市混乱的气味，外加有点儿烫手的冰砖，构成了一个漫长的星期日。这一天，不必前往幼儿园，不必分分秒秒提防那帮想在你胳膊上、腿脚上甚至屁股上留下牙印的同班小疯子……

我还记得，父亲说过，如果下次再挨咬，你就挥拳反抗。本人决定将这句话传诸子孙，毕竟，它是我父亲此生罕有的豪言壮语。

当然，父亲确实见过些大风大浪。他身上有一股子好死不如赖活的韧劲，能把眼光放长远，于逆境中忍辱偷生。"支床有龟啊！"父亲常说。他从不否认自己是一只垫床脚的乌龟。他既畏畏缩缩，顺从那足可移山填海的镇压之力，又偷偷摸摸探出脖子，强健而伸缩自如的脖子，在夜色的掩护下悄然捕食蚊蝇。"支床有龟啊！"父亲忘情高喊，将成语的原意彻底丢到一边。曾几何时，这男人也是个活蹦乱跳的大学生，往返奔逃于两座轮番武斗的城市之间，躲避四处扫荡的夺命火舌。多年以后他告诉我，祖父挨整那阵子，夜里鼻青脸肿地回到家，什么都不说，怕他去寻仇……寻仇！这实在难以置信。估计是父亲篡改了记忆，好自吹自擂。有一天，他总算苦尽甘来，死鱼翻身，侥幸搭上清理"三种人"的便车，成为全省最年轻的中学校长。拨云见日啊！老天爷开眼啊！父亲一脸感恩戴德，实质上他愈发深刻地领悟到"支床有龟"所蕴含的智慧。许多个傍晚，男人一反常态，无缘无故抱着自己四五岁的小儿子，端坐于铁轨一侧的水泥测量桩上，等待列车呼啸驶过。他似乎在给我念咒，给我注入神奇的能量……快看，铁轨的深褐色枕木上钻出许多亡魂！它们想把活人拉过去，当替死鬼！我怕得要命，唯恐飞溅的砟石把父亲或者我自己的脑袋打爆。真吓人啊，火车头喷着浓烟，咣哧咣哧从远处冲来，先是一颗黑点，继而变作一条铁青色鼻涕虫，再变作一长串闪耀不定的积木，接着猛然化为充塞天地的庞大阴影，裹着狂风把世界割去一半。我们几乎被卷进一道水平的深渊，卷进一堆粗硕的减震器和一对对坚硬无比、边缘白亮的金属轮子底下。时间放慢，车厢一节又一节，怎么也过不完……

沿着老路，如同沿着并不存在的磁力线，我再度回归色调越来越阴暗的市体委……见鬼啊，天下大乱！围棋队在土崩瓦解。首先是关卫海状况堪忧。我这位大师兄精神恍惚的程度正不断逼近临界值。他渴望躲进深山老林里修炼。他买来一杆气枪外加几盒子弹，站在房间里往窗外射击。有一次，子弹从汪立国耳旁飞过，嗡一声响，把低头抽烟的少年吓出一身冷汗……与关卫海大师兄同屋的鹿武韬、马毅二人由于日日夜夜的彼此仇恨，由于不休不眠的阴谋斗争，皆已丧失理智，他们各自积蓄力量，准备终极一战；吴教练的小毛驴苗裕因为父母闹离婚，几乎肯定要走；杨小贱看样子也要走；而肥妞王媛媛没等我赶回体校收拾她，早在一个月前就已退队、转学，丢下了两箱子衣服和近百本劣质漫画书。唯一的好消息，或许是英俊的大流氓小白狼仍未对尹秋琳下手，可见他相当忌惮姑娘那股浅咖啡色的魔力……暴风雨在所有人的脑袋上持续酝酿……训练室从一楼搬到三楼，宿舍从东边搬到西边，桌椅乱堆，反复折腾……盛大伦领队不再督促队员们早起锻炼。最后几次晨跑，我似乎看到，体育场变成一个硕大无朋的黑色碉堡，外墙满目疮痍，轮廓如此陌生，仿佛刚刚冒头的魔怪……灾异天降，洪水来犯……吴教练阴郁的面孔！黄教练如临大敌的训话！我明确预感到，祸事即将发生……

女子举重队经历了大换血。终年穿短袖短裤的可怕教头下马滚蛋，许多岁数更小的农村妹子蜂拥而至，争相加入这个表面上力大无穷的团体。韦鲜花还没有离队，但已经与我们形同陌路。练摔跤的少年个个愁眉苦脸，不是伤就是病，肌肉上布满奇怪的条痕。踢藤球的小伙子则统统不见人影，宿舍门窗紧闭，听说是去香港参加比赛，接着还要去曼谷、吉隆坡、雅加达参加比赛，总之越走越远……有一阵子，本人还给他们的王牌选手打过早餐。我喜欢从阳台爬进房间，问小伙子要钱，不时看见一两个光屁股的姑娘趴在他床上昏睡……啊，流线型肌肉的藤球队员！你们大概再也不会回来了。但愿你们的骨灰能够回来！

文化课也不好过。父亲打算让我从南园小学转回星园小学，理由特别稀奇：这样离家近些。罗韶芬收到消息，随即发动全班的男生女生挽留我。"在南园小学的支持下，这孩子出了成绩，"校长指示罗老师，"绝不许放走……"其实所谓成绩，根本算不上什么成绩，顶多是山中无老虎，猴子称大王，只够骗一骗没见过世面的小学校长。他们把说服我留下的艰巨任务派到闫文静头上，闫文静又托付给自己的副手雷蕾，而雷蕾束手无策，居然去找陆庆春帮忙。昏招啊，送羊入虎口啊！据说，本人转学以后，我们可爱的副班长仍一直遭受大胖子蹂躏……

如今，我和陆庆春是一对忘言之交。两人经常坐在一起，望着窗外风景，半天不说一句话。周围无论喧嚣或寂静，我们始终以沉默熬煮各自的痛苦膏汁，使其更加深入肺腑……我问大胖子，最近怎么不上街，他说，这几日游戏机室非常动荡，来了一些乡下小伙子，导致群殴不断。陆庆春曾幻想自己是一只隼，高悬天际，背对着太阳朝猎物俯冲，于电光石火间实施一次完美的扑杀。可实际上，他在烈日底下活像一只大豪猪，不，活像一块阎王扣肉……

放学后，整栋五层教学楼除了我和陆庆春，再无一人。金色的阳光照进窗子，蝉鸣阵阵，日本动画片的夏天氛围笼罩着空空荡荡的教室。我们谈论着新来的美女音乐老师。说实在的，她并不漂亮，奈何其他老师太丑。又聊了一阵刚上市的圣斗士贴纸。妈的，城户纱织的低胸长袍越来越暴露了，这个害人精完全不知廉耻啊。又聊了一阵班长闫文静。陆庆春说，迟早要强奸她，让她尝到厉害……突然间，我感觉一切沉寂下来，坠入了比前一刻更宁静千百倍的强烈宁静之中。大胖子没有抬头，忍受着宁静的噬咬，缓缓说道：

"陆小风，你今后别再来找我。"

我问他为什么。

"其实一开始想让别人喜欢我，"陆庆春歪着脑袋，拿刀子在课桌上乱划，"你看，这办不到。所以只好让他们怕我……"

我一声不吭，等他讲完。

"但是，陆小风，你不同……放学别再来……"

"不，我们联手，可以让他们又爱又怕，甚至，更爱更怕……"

"你错了，"大胖子把刀子扔掉，挎上破书包，准备往外走，

"到头来，他们既不再怕我，也不再爱你。"

　　已经没什么可说的。正午的色调格外苍白。我恍然觉得，紫龙为星矢而死很惨烈，至于他们要为城户纱织而死，真是个天大的笑话，令人欲哭无泪。

接下来，我想谈谈柏芸，谈谈这个跳河自尽的女棋手，这个臭三八……唉，算了，我们说人死债消，又说人死为大，因此跳河自尽的臭三八已不再是臭三八。她跳河之前，还试过卧轨，不过并未成功。她以一死洗脱骂名，她重归纯洁无瑕，任你们呼牛呼马……天不遂人愿啊！还是谈谈尹秋琳吧，谈谈近在咫尺又遥似晨星的黑美人尹秋琳。

　　四月间，姑娘穿着轻盈的连衣裙，倚着铁栏杆，脸上挂着若有若无的笑意，目送我走下楼梯……哦，尹秋琳，迷人的姑娘，美目含煞的亚热带少女！你备受折磨的神姿无可名状，令我们垂涎三尺。你身边迷信巫术的王媛媛梦想长发披肩，现实中却扎着个很丑很突兀的短辫，杵在脑袋上，顶端别了一枚蓝白相间的蝴蝶形发饰，好像一面圣安德鲁十字旗悬挂于欧洲大帆船的桅头……尹秋琳的棋艺也有过进步，她跟鹿武韬、马毅一起做死活题，这两个偏执狂一个脸大而体格壮实，另一个脸长而身材魁梧，他们犹如一对行瘟使者，默然走在高深死活题那洒满脑汁与心血的艰辛道路上……夜晚，如果教练允许，我和尹秋琳常常会下几盘快棋。姑娘刚从大浴房回来，头发还没干，散发着洗发水的香味。有别于她柔顺的外表，黑美人对局时到处跟你乱战，总想屠龙，总想中盘取胜。怎奈姑娘的基本功太差，往往一路追杀，结果却自己形状崩溃。她一紧张便身体僵硬，逐渐喘不上气来，她胸部起起伏伏……尹秋琳每天至少洗澡两次，盛夏时每天四五次。淋浴喷头下，她陷入深度痴呆，酷似一株人形植物，或者一座铜雕。这番情景是我在北京亲眼所见。在北京，她当着我的面脱下浴袍，穿上裙子，她湿漉漉的皮肤犹如快融化的朱古力奶油冰淇淋……后来，尹秋琳终于投入小白狼的怀抱，令好些人伤心欲绝，引发大祸。啊，棒打鸳鸯，黑牢冤狱，血泪纵横……凄凉呀，尹秋琳从此远离了故交旧识的圈子，躲藏了很长时间，以避开我母亲之流所组成的小道消息网络的持续窥探。即便围棋队已经解散，即便师

173

兄弟们已经各奔前程，这伙三姑六婆仍频繁交换情报，及时掌握所有人的最新动向。然而，她们打听不到尹秋琳的新闻，她们很难受，乃至很屈辱。实际上，我大学毕业那年，亦即我狂怒失控将母亲的牌桌掀翻那年，尹秋琳也刚好从外省返回家乡。姑娘一出火车站，有人就认出了她，向她赔罪，请求她原谅。可是原谅或不原谅都毫无意义。光阴不可能倒流，发生的事情不可能推倒重来……

那阵子，我整晚整晚手淫，白天犯困，哈欠连天……女朋友挺诧异我谈个恋爱怎么老是没精打采，她自认为十分娇俏，十分性感，可以让小伙子们欲火如焚。本人当然不敢让姑娘知道真相——这非常冒犯——只好说我通宵读书。于是，我不得不手淫之余拼命读书，以免谎言被戳破。时隔多年，回忆往事，我终于向这位昔日的女朋友坦言相告。谁知她一脸怀疑之色，劝我不要一本正经胡扯，更不要为自己当初的懒惰找些不三不四的堂皇辞令！

麻团脸汪立国一直与尹秋琳保持联系。他整天揣着个破烂寻呼机，十年如一日给她打电话。真人不露相啊！谁能想到，这家伙居然是个妇女之友，无可比拟的妇女之友。我还以为自己更得黑美人信任，我大错特错！……很久以后的某天晚上，汪立国几乎喝掉一整瓶三花酒，方才向我们透露了尹秋琳离开棋队的真正原因：姑娘不慎怀孕，孩子是小白狼的，而她坚决不肯打掉。活见鬼啊，黑美人这是想借狗种生龙胎？……在汪立国醉意昏沉的连串画面里，我们似乎看见，尹秋琳由她父亲陪同，跑到外地的私人诊所分娩。她咬着自己的头发呻吟，免得失声大叫。但是接生的赤脚大夫极其无知、粗鲁，只会牢骚满腹地催促产妇用力推挤……别磨磨蹭蹭，想象一下自己在拉屎！拉不出来？必须拉出来！生小孩可不是闹着玩，不是听戏、打麻将！使劲儿，再使劲儿！屎尿流就流吧！天地之大德曰生！你以为小孩怎么来的，是从房顶上掉下来的，还是顺着臭水沟冲下来的？不劳无获啊！使劲儿，姑娘，光哭可不行！……

北京之行实在是一次意想不到的末世狂欢。我原本以为，无论如何去不成北京，毕竟棋队已岌岌可危，朝夕难保，而马毅和鹿武韬这两头牲口的决斗，无疑是压垮骆驼的最后一根稻草。当时，吴教练刚申请到一笔宝贵资金，正准备让我再度前往旧省城，继续接受姬老师高屋建瓴、力道千钧的专业指导……不料，领队盛大伦召集众人开全体会议，他一肚子火，他声嘶力竭，反复强调那场发生在楼顶的闹剧影响恶劣，挑事者必须严惩，作风必须整顿。于是我只好暂缓动身，扎扎实实清理自己思想中毒化的部分，以及心灵中腐烂的部分，乃至肉体中残疾的部分……那个同室操戈的星期六上午，恰逢冷空气大举南下，漫天的透光层积云被压成一线，苍穹洞开，给人鸡犬飞升的幻象。决斗一开始，马毅和鹿武韬立刻鬼上身一样乱跑乱跳，高声怪叫，大伙不免会想起市体校在建国之前一直是个刑场，污血遍地的刑场，众多冤魂厉魄至今仍缠着活人不放，兴许马、鹿双雄已然中邪，按照道家的说法，已遭夺舍……瞧，他俩抱成一团！他俩翻滚扭打！他俩拳脚凶狠，势若脱兔！……吓哒！马毅发飙了！……嚯喳！鹿武韬打算以惊天怒吼震晕对方！马在抠鹿的眼睛，鹿在捏马的喉结，他奶奶的，相煎何太急啊，果然鬼上身啊！谁见过如此不堪的场面？我深深为他们感到不齿：这两个家伙完全是因为死要面子才相约决斗的。这两个家伙竭力将各自的人生观倾泻到彼此的脊椎骨四周。可是，他们脑袋发懵，六神无主，根本找不着北！实际上，他们的仇恨、怨毒、歹意，大多消散于白天黑夜的对弈之中了，他们已从愤怒的巅峰滑落，跌入彼此厌烦的臭粪坑。不错，以棋手的觉悟来看，那才算真正的决斗。挥拳互殴太过于庸俗，太过于低级！不错，我们的命运是战争，不是挥拳互殴！我们用骨碌骨碌转动的大脑发起战争！我们接受的训练，要求我们在棋盘上绝不示弱，绝不退缩……你赢不了我，即使打我一顿又怎样？无能！软弱！幼稚！胜负，纯粹的胜负，不应该羼杂除胜负之外的任何东西！所以马毅和鹿武韬的决斗注定虎头蛇尾，令围观者大为失望。扫兴啊！真你老母的没意思啊！他们嘘声四起，把手中没吃完的包子、卷饼、炒饭、豆蓉糯米团丢到楼下，纷纷散去……事后两人双双被棋队开除，还被拉去派出所登记备案。马毅，这位极其能吃辣的大个子少年，他家境贫寒，没读过什么书，但他下棋时无意识的抽搐是多么动人啊，他忍饥挨饿时耷拉着脑袋的一举手一投足又是多么优雅啊！他会吹竖笛，他梳个汉奸式中分头，他穿人造革皮衣，多么特立独行啊！他沉醉于自己的世界，他丝毫不在意别人异样的眼神，他才不管你怎样说怎样想。假如我有大个子少年一半的自信，没准儿可以再进一步，成为职业初段……而鹿武韬，马毅的死对头，天生是一名插科打诨的小丑，是喜剧演员，是肢体语言大师。这哥们儿永远穿着短窄的浅色格子衬衫和深色粗纹布长裤，脚下一双屎黄色翻渣凉鞋，或者一双硬塑人字拖，圆硕的脑袋剪个板寸……他应该去找周星驰拍电影，不应该来下什么磨屁股的围棋！鹿武韬、马毅为何好端端地闹到反目成仇，原因我已经忘记，原因往往是空洞的。多亏小苗裕的警长父亲打招呼关照，否则这两个活宝难免要在局子里蹲上几天……屋漏偏逢连夜雨啊！吴照璁和黄材晋不得不抛开私怨，团结一致，到处填堵裂缝。他们火燎眉毛，再也顾不上争权夺利，因为领导威胁说要将两人统统解聘，要彻底改组围棋队，甚至终结围棋队。他们脚下是万丈深渊！他们在用死神的大镰刀剃头！看来盛领队是想让吴照聪和黄材晋背黑锅啊，可见我们这位徒有其表的马克西姆·高尔基自身难保……危急时刻，象棋队的主教练周寿阶站出来说话了。老先生早在五十年代已获得大师头衔，他德隆望尊，地位超然，脸皮粗糙如椪柑，走路的样子酷似非洲秃鹳。他不仅齿缺漏风，而且舌头肥大，总是把本人的名字发成"落小轰"。周老爷子以庄重的态度，诚恳的语调，请领导切勿为难小棋手，切勿苛责教练员，应该再给我们一点儿时间证明自己……长者一席话，好歹将有关人等的饭碗保住，让大伙逃过一劫。不过，问题的根源依然是比赛成绩，围棋队四分五裂的前景依然悬在我们头顶。

当时，韩国少年李昌镐以其鬼神附体的官子本领，超越他正处于鼎盛岁月的师父，亦即人称"不死燕子"、"柔风快枪"和"火焰喷射器"的曹薰铉九段，登上王者宝座。这个位子李昌镐一屁股坐了十多年，雷打不动，他恐怖的持久力无与伦比，令一众天才饮恨终生……

我从南园小学转回星园小学，闫文静无法劝阻，班主任罗韶芬无力挽留，连凶神恶煞的女校长也无从抗衡我父亲在教育局发动的远程攻击。然而，去星园小学读五年级，必须骑单车往返。父亲并不情愿传授他浸淫三十余载的双轮平衡术，理由是我不够谨慎，或者说心智不够成熟，上街有可能被汽车撞死。但不管怎样，父子同乘的时代正式结束了……爸爸，你不容易啊！你一向是个精明的大懒鬼，你动不动就口腔溃疡，你流星赶月，席不暇暖，你屙屎兼捉虱，偏偏又吃过那么多苦头，受过那么多惊吓，如今还得为我这反骨仔浪费许多力气！啊，你咒天骂地的腹式发音！你终年紧锁的眉头！你愁城难破的叹息！我万分歉疚哇……不错，父亲是全家的顶梁柱，是一窝子老老小小的主心骨，可他仍然有自己的世界要闯啊，他仍然有自己的理想要追求啊，这个鬼鬼祟祟的逐梦男子，他如牛负重，他支床有龟啊！父亲凭什么没日没夜帮我们换尿布？父亲凭什么放下手头的大事小事为我们擦屁股？我们不该患上脑膜炎，不该摔断腿，净给他添麻烦！我们是一堆可恨的未知数！不能再赖在他慢悠悠的单车上，傻乎乎听他咏唱全世界各民族的悲惨歌谣。我必须使劲发育！我必须远远离开父亲，越远越好。他浓重的厌世情绪隔空打来，传到我身上，遗毒甚深……

由于过度焦虑，黄材晋开始不停掉头发，他脑壳上日益显眼的斑秃欲盖弥彰，他那张烟鬼脸也日益透出浅紫色，他大小不一的两只眼睛则日益浑浊。队员们意识到，这家伙的精神压力越来越大，几乎没法再撑下去了。我幸灾乐祸啊，我继续百折不挠地躲躲闪闪……反观主教练吴照聪，不仅非常镇定，还因为伙食太好而容光焕发。他下棋时跷着腿，抖着脚，胡乱哼着小调……吭噻咙噻呱，吭噻呖噻咣！吭噻咙噻呱，吭噻咙噻呖噻咣！……吴教练可以这样哼上三天三夜，既不累也不烦，而且越哼越顺畅，越哼越滑溜，仿佛在熬制糖油。作怪啊！配合不同曲式，他踩着拍子，即兴组合那几个没头没脑的字眼，饱含深情！……来呀，呒噻咙，呖噻呱，呒噻咙噻呒噻呖噻咣！……快活呀，吴教练，你目光如电，你泰山崩于前而色不变，你摆弄五行八卦，已算到自己否极阳回！受他感染，不少人也莫名振作，缺兵短将的训练室洒满了阳光……

果然，七月间，杭州报捷，唐克克晋级职业初段。各级领导纷纷发函祝贺、褒奖。教练们喜极而泣。两人一时间抛开恩怨，互相祝贺，彼此吹捧。唐克克你是大伙的救星！唐克克你是一朵开在穷乡僻壤的奇葩！你是父老乡亲的骄傲！你起死人而肉白骨，你是他娘的灵丹妙药！……经费下来了！围棋队原地复活！有钱底气壮啊！吴教头当即拍板，去北京！去伟大祖国的首都见见世面，三人行必有我师！他立即打报告，他一秒钟也不想耽搁。几天后，吴照聪带着我、尹秋琳和关卫海大师兄，抛下老婆孩子，神清气爽地动身北上。

旅途漫漫。吴教头坐在卧铺车厢的弹簧软凳上，耷拉着嘴角，眯着眼睛望向黑漆漆的窗外。男人穿了一件立领针织衫，体格雄壮得像个守卫南天门的神祇。他一上火车，就不停吃方便面，不停吃快餐盒饭，他咂动舌头，响声大得跟打梆子一样。列车播音员假装应乘客要求放送的《穆桂英挂帅》选段，又让我想起女子举重队，韦鲜花们好像一颗颗大铁珠子在本人脑袋里滚动。隔着厚厚的窗玻璃，可以看到地平线上方有一抹月痕浮现，火车驶过林地时，它随即变成一条金环蛇，在密集的枝丫间狂舞……

关卫海大师兄没怎么吃晚饭，他从旅行包里取出一块折叠的磁力棋盘，开始打谱。这小伙子是个棋痴！他并非左撇子，却经常用左手下棋；别人用中指和食指夹棋子，他倒好，经常用中指和无名指夹棋子。真是个怪胎！关卫海大师兄躲在积满灰尘的蚊帐下面研究吴清源时，脸庞好似一块冻肉，雕着两只小眼睛的病死猪的冻肉！他那张从来不洗不换的床单上，印满了姿态各异的小棕熊，这些生动的幼兽图形令他整晚勃起，坚挺直至清晨。

关卫海大师兄喜欢吴清源，而我更喜欢藤泽秀行。我认真揣摩藤泽秀行的布局。他为数众多的弟子像孔门诸贤一样拎着肉、排着队前来提问，并把一代棋圣的见解记录下来："秀行老师说，这一手乃是急所[1]啊……"

车厢剧烈摇晃。关卫海大师兄的棋局一片凌乱。机不可失，我当即撇下他，脱掉鞋子往高处爬。尹秋琳一直躲在上铺，戴着耳机听音乐。我挤到姑娘身旁趴下，摘了她一边耳机，塞进自己的耳朵眼里。转动的录音带上，张学友正情啊爱啊故乡啊望月啊唱个没完。尹秋琳不知为什么一脸死猪不怕开水烫的神情。我猜姑娘不是在思春，而是在考虑北京的比赛。没错，我

---

[1] 指围棋双方互相接触时，关系到双方稳固、形势消长的要点。

们可不是去观光旅游，我们要应付一群极其顽强的对手，如果将这帮人的求胜欲望换算成黄色炸药，总当量必定超过历史上威力最大的氢弹，足够轰碎月球……其实，我也不愿跟尹秋琳同睡一个床位，怎奈吴教头只买到三张卧铺票，因此两个孩子不得不凑合一晚。

十点钟，休息时段，车厢一派昏黑。铁龙在夜色中驰行。经过城市，可以看到一条由灯光组成的虚幻河流。楼群宛如块状的灰烬。半是金黄半是青灰的月亮高卧云端。我和尹秋琳各躺一头。她弓起一条腿，露出裙底挡住私处的粉红内裤。姑娘发育得不太好啊。她始终套着一件银朱色雪纺小衫，穿着一双奶棕色棉质短袜，睡觉也不脱下来。我凑过去，感觉正在接近一个明灿灿的星夜。我脉搏狂跳，像一只蝙蝠……颤动的幽暗之中，我摸向尹秋琳的胸部。她小小的圆圆的乳房终于落在我手里。我的心冰冷到极点。她陷于深眠，完全不省人事。兴许是装睡。顾不得他妈的那么多了。反正她一定知道，我也不过是梦游而已。我摸她。我不由自主。我如饥似渴。我左右开弓。我在犹豫要不要上嘴，要不要像关卫海大师兄夹棋子一样夹她乳头……尹秋琳原本侧躺着，后来索性一翻身，改为平卧，方便我抚弄她身上的那些个三瓜两枣……假如姑娘的每一

185

次轻喘都化作一朵玫瑰，假如它们在贫乏、焦灼的黑暗中逐一绽放，那么，我俩身处的这段车厢大概已变成一座五彩斑斓的花坛……她身子发烫，却一动不动，仿佛一具尸体，活灵活现、虽死犹生的尸体，姑娘鼓励我恰如尸体鼓励尸蛆……这时候，就在剑拔弩张之际，我突然想到黄材晋，感到一阵恶寒。但我没有把自己梦游的双手缩回来。我不敢。鲜艳的图景轰然倒塌，眨眼间沦为一大堆杂乱无章的彩色碎片……

第二天上午，尹秋琳告诉我，她长了痱子。难道我昨晚摸得太厉害，竟摸出了痱子？不好说啊。然而，我十分镇定，我古井无波！天热嘛。当着吴教练和关卫海大师兄的面，我打开旅行箱，拿出个小圆盒子，递给姑娘。来，扑点儿痱子粉，我妈非要我带着，没想到还真用得上。

唉，读者，我取次花丛懒回顾啊！……唉，姑娘，天下无不散之宴席啊！……唉，母亲，你儿子是个直肠直肚的笨小孩，不识好歹，又全无长进！……除了许多恶言泼语，本人没学到任何东西，老天爷从不给我发奖。

第一次来北京，我大感新奇。首都市民的卷舌音促使我反复产生错觉，以为这儿是一座辽阔无边的京剧团……实际上，即使是今天，在北京的广袤郊野蜗居了十八九年之后，我依然无法吃透它宏大规模的深层寓意，而我南方的舌头也生硬如初，丝毫未见软熟的迹象……

主教练吴照骢、大师兄关卫海、我陆小凤，还有差两个月满十三岁的美少女尹秋琳，四人住在北京动物园旁边的国家气象局招待所里。时值仲夏，赛程相当紧张，但黄昏十分冗长，落日在天边悬挂良久，迟迟不愿沉坠。我们潦潦草草复盘，急急忙忙奔向餐厅，随后洗澡，随后走进动物园转悠。暮色四合，百兽归笼，周围一派静谧，尹秋琳被冷寂的氛围所慑，始终拽着本人柴棍似的细胳膊。姑娘比我还要高半头，她这个样子，让我觉得颇为丢脸，可又不想费力气挣脱。休赛日——美妙的时光！——我们去招待所附近的一座大礼堂看电影。有部片子，大约叫作《过关斩将》吧，男主角在故事高潮挥舞着疯狂转动的电锯，把一名恶棍的裆部彻底捣毁，那一刻，湿木屑和生蛋黄似的物质横飞，粘在镜头上。诸位晓得，吴教头原先当过几年医生，他指着银幕上浅黄的模糊斑点说，这就是男人的卵。我们还看过一部讨论梦中杀人的电影，片子里咣咣咣行驶的有轨电车、暗红色的天穹、稀薄的空气、地铁乘客戴着防毒面具的喘息声……远比粘在镜头上的男人的卵更恐怖。白天，我们在宽街窄巷间乱逛，见到许多漂亮的京城大妞，她们的豪情丰姿比之元朝公主也不遑多让，还见到水鸭大小的喜鹊在松树下嘎哒嘎哒啼鸣，似要飞到天边的烟云中夜宿。吴教头喜欢去住宅小区的露天排档吃炒菜。他和关卫海大师兄一人一瓶五星啤酒，我则与尹秋琳共同分担一瓶……

当时，棋局的胜负特别残酷，首都的恢弘气势很显然大大助长了少年们建功立业的雄心。战况空前激烈。我打算放手一搏，凭战绩抢到一张去郑州的车票。夺取一个好名次，让冷眼旁观的贱人统统闭嘴！……搞不清楚自己为什么如此坚持，按道理，我早已经认命，超脱于竞争失利的阴霾，不再愁容满面。莫非还要表演垂死挣扎的压轴戏码？我想了又想，百思不得其解，我茫然无措……

在北京，我遇到坐飞机来参加全国精神病大会的好舅舅。他碰巧也住在动物园附近。赛程结束那天，我步行去找他。走进三层旅馆的正门，随即听见《美丽的梭罗河》如蜿蜒大水从楼梯上奔泻而下：

旱季来临，你轻轻流淌，雨季时波涛滚滚，你流向远方……

舅舅，亲爱的舅舅，你小点儿声呀，做人要低调呀！眼下整栋楼全是来自天南海北的精神病医生。你这些同行一个个火眼金睛，手段高强，瞧瞧他们可怕的目光，恨不得把我这类深藏不露的精神病人统统逮住，择肥而噬……舅舅情绪极佳，他拥抱我，笑吟吟地拍我脑袋瓜，带我上街挑了双气派且昂贵的皮凉鞋，再给我一百块钱零用。真没想到哇，舅舅在中西医结合治疗多种精神病方面成就斐然。他这次来北京开会，是要领取一份盖着好几个大红章子的荣誉证书，不过奖金只有象征性的两百元，还抵不上他刚才帮我买皮凉鞋外加给零用钱的花销……舅舅打小当少爷，大手大脚惯了。银子钞票从四面八方朝他涌来，聚沙成塔，可是一位卓有建树的精神病医师要那么多钱干什么呢？他不停挥动散财的衣袖。他出资让乡下的族人盖宗祠，他跟穷得叮当响的骗子远亲合伙做生意，他买兰花，他集邮，他请朋友上万国酒楼，他送金条支持老同学移民加拿大……所以，母亲时常劝我，要多去舅舅家走动：肥水不流外人田嘛！

吴教头并不急于打道回府，决定在京城好好玩他几天。每日上午七点，用过早餐，我们便精神百倍地奔赴东西南北中各大名胜古迹。故宫，天坛，王府井大街！十三陵，颐和园，首都博物馆！……我们拍照，投寄明信片，乱走乱看乱买。在游人罕至的司马台长城，三个男子汉吃坏了肚子要拉稀，找不到厕所，只好在荒郊野岭分头行事。夏末初秋时节，猛烈的山风寒意十足。我来到一个不长草的土堆旁，脱掉短裤蹲下，激荡的气流马上把我饱经沧桑的小鸡巴冻硬了。但它不得不继续承受风沙的吹袭，因为我腹痛如绞，顾头难顾腚，我闭上眼睛拼命忍耐，我牙关紧咬，大脑一片空白，叽哩咕噜，噼哩噗咙！……炒肝，卤煮，涮肉，驴打滚，糖火烧，老面饼，摧魂夺魄的豆汁，烤鸭，酸菜鱼，疙瘩汤，宫保鸡丁，开胃的山楂糕，核桃酥，枣花酥，包罗万象的杂粮拼盘，扭秧歌阶级的红烧肉，大国风范，意识形态的麻辣烫……首都北京，我对不住你，当天我囫囵吞进肚子的，这一刻凭我久经战阵、百炼成钢的屁眼悉数奉还！呜哇，畅快呀！呜哇，舒坦呀！呜哇，大腿沾到屎！……

我匍匐在土堆上休息，下肢麻痹。树木稀疏的山谷依然炎热，烈焰般升腾的扰流不断生成，恍如幻境的边界。远处笼罩于似雾非雾的苍茫之中，俨然是一片元气的大海。尹秋琳在做什么？我看到姑娘沿着残破的墙垛一路往前走，不顾危险要攀上烽火台。她成功了！她惊诧于自己的胆量，兴奋得大喊大叫，姑娘穿着条牛仔短裙，而西风劲吹无已……噢呀呀，我激动莫名，立刻提上裤子去追她。注意！别发昏！别发狂！我告诫自己。小心踩空！小心脚底打滑！摔下去可就没命了啊！好不容易来到摇摇欲坠的烽火台旁边。抬起头，才发现尹秋琳原来一直在盯着我看，她两只眼睛像涂上了粉金的釉彩……我心里渗出一丝奇异的快慰，认为相比之下，姑娘更接近湛蓝的天宇，更接近太阳的圆拱，而太阳正在北国苍穹上发威，黄昏的空气向东方涌去，往千沟万壑的大地投下层层阴影，明暗条纹交替从我们头顶掠过……吴照骢、关卫海也大解完毕，朝烽火台走来，两个男人一脚高一脚低，双双面庞泛青，身体似乎很虚弱。这时候，轮到尹秋琳要拉屎了，但她并不是闹肚子，她从从容容走下煤堆似的烽火台……我体内的潮水又一阵波动，于是跑向一个杂草丛生的城墙崩塌处，迎风放尿，结果淋到自己的裤脚；关卫海大师兄伸长了脖子眺望山海关，可它远在三百公里之外，连半点影子都看不到；吴教练扯开衣领，露出柔亮的胸毛，冲着低缓、辽阔而人烟稠密的华北平原，接连抛去一阵阵长啸。

我想瞧一瞧尹秋琳的大便。我如愿以偿。哦，美少女的大便，朱古力色洛丽塔的大便！金光闪闪的大便！再加上夕晖照耀的效果：深金色的大便！我感到眩晕。色彩在滚沸欢腾……

我们乘坐一辆面包车返回住处。司机极为沉默。他大概有意跟离合器过不去，几乎毫无必要地频繁猛拽变速杆，令车子忽快忽慢。他气急败坏，狂按喇叭，驱赶盘山道上慢吞吞步行的男女。他动辄超车，动辄抄近路，偶尔嘟囔一句听不懂的脏话。挡风玻璃上失灵的雨刷间或神经质地抖晃两下，好似抽筋……夜色越来越浓，面包车内一片昏暗，唯有仪表板在荧荧

195

放光。我不时瞟一眼后视镜，看见司机咬牙切齿，双目发绿。真他妈活撞鬼啊，紧握方向盘的哪里是什么京郊汉子，妥妥是个黑熊精！这家伙没打算把我们送回城区，他在不停兜圈子，他在找机会下手，他凶相毕露！吴教练居然还敢打盹，还敢打呼噜！而关卫海大师兄始终懵懵懂懂，神情呆滞，像一只待宰的阉鸡。暗算无常死不知啊！尹秋琳倒是很害怕，可她故作镇定。恐惧一分一秒注入我们的心胸。这下完蛋了，我们绝对碰上劫匪了。姑娘八成会被歹人拖进黑魆魆的玉米地轮奸，我八成会被拐子卖到天涯海角……

九点钟，面包车回到国家气象局的招待所。不知什么缘故，黑熊精最终决定放我们一马，让我们留在人间。他一定是发了善心啊！感恩啊！神鬼之力！真要烧高香呀！……我惊魂甫定，匆匆忙忙洗完澡，跟随他们去大排档吃晚餐。然而，端上桌子的炒菜令我联想起那泡拉在长城脚下的稀屎，瞬间食欲全消。尹秋琳帮我要了瓶豆奶，自己却依旧倒啤酒喝。她提议待会儿上大礼堂看场电影。

"别折腾太晚……"吴教练这时才想到安全问题。他准备回房睡觉，吩咐关卫海大师兄陪我们同去。男人酒足饭饱，付了钱，抹了嘴，摇摇晃晃走上星月黯淡的归途。晚风吹送，远处飘来一首不知其名的悠扬歌曲：

纵有千金，纵有千金，千金难买年少……

夜已深沉，路灯嗞啦嗞啦闪烁不定，辐射着催眠的暗号。我们迷失在阒寂无人的氛围之中，不知所措，只好低下头，不声不响往前走，走过花坛、篮球架、空荡荡的办公楼和匀整的草坪，走过变化无穷的透明迷宫，走进黑暗深处。离电影开场还有一段时间，我们无事可做，便坐在大礼堂外面的长椅上休息，望着徐徐旋转的晚穹，企图找到一两颗似曾相识的星星，但是一无所获。尹秋琳似乎故意将我和关卫海大师兄隔开，她拨弄着自己的头发，跷着一条腿，身体向垂头丧气的小伙子倾斜。我偷偷抚摸姑娘的屁股。她压根儿不理不睬，反倒去抚摸关卫海大师兄的脑袋。他俩同属于发呆者联盟。姑娘默默安慰着不说话的少年，而他因为心事重重，对此全无反应。好吧，摸吧，我们各摸各的，互不妨碍……哦，这是忧伤之夜，也是温柔之夜，这是沉醉之夜，也是醒悟之夜，这是轻浮之夜，也是命运之夜……我十一岁，已经知道爱情比色情更珍贵。尹秋琳，好姐姐，你长腿冰凉！关卫海，大师兄，今晚黑美人的心

197

向着你！而我陆小凤，我孤独呀！我只能从姑娘撅过来的屁股上搜求些许补偿，榨取些许快乐，聊胜于无……

时近凌晨，大礼堂内放映着一部讲述早期日本电影工作者艰难创业的片子。滑稽啊，笑中带泪啊！我看得津津有味。关卫海大师兄早已困得眼皮直打架，不住点头。尹秋琳倚住我瘦巴巴的肩膀假寐。她长发上沾了些露水，透着让人烦乱的香味。姑娘用指尖在我膝盖上不断画圈。我疲惫的膝盖不堪其扰。我怦然心动。但我没有再伸出爪子，去探寻她身上撩人的神秘。我不愿搅动这份宁静，不想破坏银幕上连贯的故事情节，玷污电影工作者们崇高的信仰。这帮痴狂的男女为了拍片子而苦练十八般武艺，为了博取一声喝彩而上穷碧落下黄泉。他们奋力鞭笞着整个反电影的俗世，他们恳求，谩骂，打滚，他们为了日本映画工业的明天恨不得肝脑涂地……哦，你大爷的，这伙子太阳女神的后裔多么欢实啊！我非常感佩。我玩弄着黑美人的头发，压抑着哭鼻子的冲动。但沉迷于自身韵致的姑娘才懒得管我是哭是笑。尹秋琳，你当真冷酷。如此一来，我们粗俗的关系只好建立在相互索取的丑陋真实之上，甚至更凄惨，建立在本人尚待发育的情欲之上。不过我毫无怨言！尹秋琳，你供不应求，你炙手可热啊。我稳赚不赔！姐姐，你花枝招展，你紧俏啊。我在黑暗中满怀感激……

第二天清晨，我像前几日一样，领命去催促尹秋琳起床。昨晚灼灼燃烧又遭冷水浇泼的神魂已恢复常态。可是，我看到姑娘的房门居然没锁。搞什么鬼名堂！如果这一趟换成别人来，比方说换成吴教练来，姐姐呀，你也照样门户洞开放他进去乱摸一通？老男人的手皮很粗糙！换成关卫海倒好了，让他摸摸无妨……当然，还有可能是姑娘整晚没锁门，这家破烂平房招待所啊……

尹秋琳的房间朦朦胧胧，如置水底。姑娘穿着一件套头衫，裸露着四肢，歪歪扭扭躺在大床一侧，眼睛半睁半闭，也不知她是睡是醒。浅蓝色薄毯子皱巴巴一团堆在姑娘脚边，枕头已经掉到刷着绿油漆的木地板上：自然是她夜间与梦魔拼斗时，踢来拽去留下的战场遗迹。痛心啊，尹秋琳平时相当机警，眼下为何这副德行？姑娘的模样，好像一段活生生的波浪线，她这高难度的睡姿，令人起敬。倘若她再多弯折几下，说不定我会把她当成蛇精来膜拜。我站在床前，完全沉浸于秘密的奇迹之中，并未伸手去摸姑娘。其实我很想伸手去摸她，我想往她身上涂橄榄油，或者勾起食欲的芝麻油……我拉开窗帘，阳光照进屋子，姑娘慢慢醒来。她没管我，单手支在床面上，摆了个哥本哈根小美人鱼的姿势，双眼无神。几秒钟后，她看向一块贴墙摆放的大镜子，与镜中的自己长久对望。我不敢吭声，也不敢走到姑娘和她诡谲的虚像之间，生怕被来来回回反射的视线切成碎块，变为一堆肉末子……尹秋琳还在回味刚才的梦境，将本人完全忽略，而我也没有要离开的意思……姑娘光脚走进卫生间，脱掉那件她当成睡衣来穿的宽松套头衫，开始淋浴。我换了个位置，通过镜子窥探水雾缭绕的尹秋琳。这是我生平第一次完整、清晰、安稳地目睹异性的裸体。当时太无知呀，还以为尹秋琳看不见我，还以为自己那一刻十分隐秘！……凝视着黑美人的裸体，我心中一片空明，而时光缓慢且充实，满含浓稠的愉悦。姑娘洗完澡，裹着浴袍走进卧房，撞见我，吓了一跳。

"拿衣服过来。"尹秋琳退回卫生间，冲我发号施令。

我表示爱莫能助，理由是女人的衣服太烦琐。我无耻啊。

"不如我放下窗帘，你自己……"

闻言，姑娘重新走了出来。她跪坐在床边，解开浴袍，背对我戴上笋青色胸罩，穿上粉色内裤，再套上白色连衣裙……我冷静观察，我呼吸平稳，我飘在半空，我铭感肺腑。时光又一次缓慢下来，而且越到末尾，越近于停滞……

尹秋琳让我帮忙提上连衣裙侧面的拉链。接着，她扭头深深望了我一眼……说实在的，我搞不清她这深深一望的含义，也搞不清楚自己是害怕她深深一望，还是渴求她深深一望。我巴不得姑娘也深深望一眼关卫海，或者深深望一眼小白狼，如此一来，我便可以仔细观察他们的反应，详尽询问他们的感受，好弄明白这深深一望究竟是什么意思……莫非，黑美人想朝我裤裆上踢一脚？那样我肯定得在她跟前跪下来哭啊！无论如何，姑娘这深深一望既是第一眼，也是最后一眼，我从中仅仅领悟到，没几天好日子可过了。

"看完了吧？"尹秋琳拾起毛巾，正要把湿乎乎的头发擦干一些，"看完你可以滚蛋了。"

我二话不说，立即拽开房门，向着屋外的明亮飞快滚走……

我们回到省城，再度回到省城。黄材晋也领着苗裕、杨小贱和汪立国等人坐火车从南京归来。唐克克本该为明年的升段赛而继续用功。可是我明显察觉到，他气势已大不如前，他那股狠劲正一点一点消散，而一直以来，他视野太过狭窄，脑筋过于直来直去，他没什么灵光，犹如凶猛、直愣、发狂发昏的大野猪……哦，唐克克，令人伤感的蛮荒怪才，我们很快要同赴郑州，求教于勇武而博大的冯先进老师，为了家乡的下一个段位……光阴如流水啊，好像一切已无可挽回……秋天，我升上初中一年级，遇到一名姓李的斗鸡眼同学。他拼命把一本又一本淫秽书刊塞给我看，他抖动着四肢向我形容剧烈的性高潮，简直无法自拔，他屁股不时炸出一阵阵可厌的声响。李倍光，除了你这家伙，我一个朋友也没交上！……的确，围棋队崩坏的速度因为唐克克成功入段而放缓，但队里人数越来越少，连我们的主教练吴照聪，竟然都辞职做生意去了。不过汪立国脑袋上夆开的黄毛倒一天比一天硬。他并未满足于啫喱水的效果，改为使用更加可怕的发泥和发蜡，如今，麻团脸对头发硬度的追求已完全灭绝人性……至于我们的女神尹秋琳，苗裕告别市体校之前曾向领队盛大伦举报，揭发她品行败坏，跟流氓头目小白狼乱搞。不消说，姑娘早就没心思下棋了。

被开除的鹿武韬和马毅还经常回来聊天、吃饭、玩耍。他们在外头混得不怎么样，整日无事可做。他们相逢一笑泯恩仇！正是这两人继承并强化了最初由阿阮开创的棋队传统：离去者必然大闹一场。眼下轮到小苗裕退队。这一次，谁会扑街，谁会伤筋折骨？我们忐忑不安地等待谜底揭晓，结果等了又等，没等来任何动静，便以为剧幕已轻轻落下……

不知为什么，我再也没见过闫文静。照理说，姑娘还住在体操馆斜对面，遇上她应该不难。可是很奇怪，我再也没见过她。或许闫文静通晓障眼法，让你根本看不到她，更找不到她。岂止如此？连副班长雷蓓也没再出现，仿佛她们俩从来都不存在。妈的，真邪门啊。

十二岁，我终于踏上远赴郑州的求学之路，亦即扑朔迷离的童年末路。铁轨那头，生活着李一凡、冯小蛮、阳少丸、席芊芊、梁大美女……还有一位迎风流泪的施虐狂职业四段。他们斗得死去活来，魂颠梦倒，他们一边修炼自己的头部形状一边叩问神灵的旨意。在河南省的日日夜夜，我表面上很用功，实际上完全没往心里去。而那个姓王的小天才像泥鳅一样钻进深奥棋道和高强度思考之中，其乐无穷……过了大半年，我直接从郑州前往哈尔滨，第四度参加职业定段赛。我整晚失眠，满脑子杂念，并在关键的一局埋头长考，可是长考出臭棋啊，结果又一次败下阵来……

我们互相角逐，彼此绞杀，据说不是为了爱，也不是为了恨，而是为了共同的愿望。

好吧，你赢了，我输了。你们都赢了，我们都输了……

苗裕离开市体校时，我尚在哈尔滨比赛，正咬牙跟一群小怪物生死相搏。汪立国说，当天是小毛驴的母亲来宿舍收拾东西，并跟黄教练和盛领队告别。这个宽脸北方女人的眼睛永远红肿，可谁也没有见过她哭。想必是苗裕爸爸的婚外情，让他老婆彻夜垂泣，泪流成河。苗警长管不住自己活跃的鸡巴呀。苗裕为此痛彻心肺！他一连数天面如死灰，他瞳仁周围遍布着仇恨的暗黄斑点，以及大脑陷入死循环的深红血丝……

　　没多久，尹秋琳的男人小白狼进了公安局：寻衅滋事罪。晴天霹雳啊！除了英俊大流氓的父亲母亲，所有人都极度震惊。公审大会上，荷枪实弹的武警将小白狼等近百名犯罪分子押至黑压压的万众面前。这是何等阵势！巨大的条幅从楼顶垂落！兵哥哥们额头上红底金边的国徽在阳光下交相辉映！大伙还以为法官要判处小白狼死刑，径直拖到郊外枪毙。他身旁不乏抢劫犯、强奸犯、投毒犯、敲诈勒索犯、故意杀人犯……这群坏男女恶贯满盈，罪不容诛！都死吧！九九归一吧！当天上午，杨小贱和汪立国还向学校请了病假，专门跑去围观。两人紧张得不停打嗝，胳肢窝不停冒臭汗，两腿瑟瑟发抖。幸亏已不是严打年月，你小白狼真够命大啊……

没人拿得出过硬的凭据，证明是苗裕在暗中使坏。但除了这头死毛驴还能有谁？别忘了他爸爸做过刑侦大队长，而且他迷恋尹秋琳……汪立国说，姑娘曾去茅桥监狱探望小白狼。男人剃了光头，满脸青紫瘀伤，请求女友等他重见天日。她似乎答应了，似乎又没答应，反正小白狼从不知道她怀有身孕。当时，尹秋琳十六岁。

等到小白狼刑满释放，尹秋琳已经外嫁他乡，她先前非要生下来的男婴也已经送给邻省的远房亲戚。在那个年代，我依稀记得，未婚先孕不仅仅是巨大的丑闻，而且普通人几乎搞不清类似问题的性质，大多觉得没领结婚证便怀上小孩无异于作奸犯科，恐怕会蹲监狱！不过要说是男方坐牢还是女方坐牢，仍需视具体情节而定，更有不少老太太认为，这样生下来的孩子长大了也得蹲监狱，反复蹲监狱……

我不想再多谈。总之，苗锐从小是一匹挨过棍棒、视锥细胞异常的毛驴，终生是一名不辨方位、鼠目寸光的业余赛车手。其他师兄弟也绝口不提这段往事。多年以来，每当我路过某某小区的大门，老是忍不住扭头扫它一眼。尹秋琳以前就住在里面。我还去过她家两三回，跟她又黑又壮的父亲吃过一顿晚饭。当然，姑娘早已从这儿搬走，消失得无影无踪了。

定段赛失利，摆在本人面前的出路只剩下重返校园。汪立国这死皮赖脸的家伙抓紧时间向我挑战，攻势一波比一波更猛，不让我清静。没想到，他在棋队的末日来临时居然越下越好。再过几个星期，顶多几个月，他一定能战胜我，达成他迈进体校大门的首个目标。可惜呀！这是棋队历史的最终章，我已无意死守自己的位置。父亲再一次发动他教育系统的人脉，神速办妥了复学手续，选了个名师坐镇、兵精将猛的班级，甚至还趁着暑假为我补习数学和英语。十年一度，父亲短暂中断他灵魂的休眠状态，从龟壳里探出头来，令人印象深刻……

我彻底回归校园，没工夫再去围棋队看一眼。有时候，我会梦见自己在训练室下棋；有时候，我午睡醒来，昏昏沉沉，会不由自主铺开一张塑料棋盘，忘了应该赶紧去上课。多少有点儿像孤狼怀念荒野，又有点儿像脱狱者惦记牢房。奇怪啊……

　　我去跟黄材晋说，我要离队了。本以为男人早已料到。谁知他毫无思想准备。你还可以再打三四年定段赛呀，为什么现在就走？为什么非得放弃？他真是肝肠寸断啊！他烟熏火燎的面庞当场裂开，两颗眼珠子接连爆炸，溅出许多汁水。我不禁想到霸天虎空袭指挥官红蜘蛛的无敌氖射线……

离开棋队，离开一个旧世界。经历，记忆，缓缓远去。我仿佛生长出一副崭新的呼吸器官，我欢畅呼吸。陈年老屎已鞭长莫及，对我无计可施。

到今天为止，我还不曾向任何人说起自己的童年，将来也无须再说起。仅此一次，该说不该说的，皆已说尽。

自从离开棋队，我才算与真实连结。自从离开棋队，我的生活就一直是春天，是毛毛雨。

如今，我躲在回忆暗房里冲洗似水流年的相片。如今，每逢遇到挫折，遇到千奇百怪的厄运、灾劫，我总是默默对自己说：你们赢了，你们赢了……但人生并不是围棋啊……

文
景

Horizon

社 科 新 知　文 艺 新 潮

童年兽

陆源 著

出 品 人：姚映然
责任编辑：李 琬
营销编辑：杨 朗
装帧设计：山 川
美术编辑：陈 阳

出　　品：北京世纪文景文化传播有限责任公司
　　　　　（北京朝阳区东土城路8号林达大厦A座4A 100013）
出版发行：上海人民出版社
印　　刷：山东临沂新华印刷物流集团有限责任公司
制　　版：北京大观世纪文化传媒有限公司

开 本：850mm×1168mm　1/32
印 张：6.75　字 数：82,000　插页：2
2019年6月第1版　2019年6月第1次印刷
定 价：39.00元
ISBN：978-7-208-15722-4/I·1806

图书在版编目（CIP）数据

童年兽 / 陆源著. —上海：上海人民出版社，
2019
　ISBN 978-7-208-15722-4

Ⅰ.① 童… Ⅱ.① 陆… Ⅲ.① 中篇小说-中国-当代
Ⅳ.① I247.5

中国版本图书馆CIP数据核字（2019）第028462号

本书如有印装错误，请致电本社更换 010-52187586